La bibliothèque Gallimard

Note sur l'édition que nous avons utilisée
Les extraits présentés ont été traduits en français moderne à partir de la version franco-italienne du texte de Marco Polo, considérée généralement comme la version originale, éditée par G. Ronchi (Mondadori, Milan, 1982).

Marco Polo

Le devisement du monde

Récit traduit de l'ancien français
et accompagné par **Violette d'Aignan**
docteur ès lettres

La bibliothèque Gallimard

Ouvertures

Après un si long voyage...

On raconte que lorsque Marco Polo revint à Venise avec son père et son oncle après une absence de vingt-quatre ans, personne ne les reconnut. Ils avaient vieilli, bien sûr, leurs traits étaient altérés par la fatigue du voyage et leurs vêtements rudes et grossiers rapportés de Mongolie les faisaient ressembler davantage à des Tartares qu'à des Vénitiens ! Et puis ils étaient partis depuis si longtemps qu'on les avait crus morts...

Alors les trois Polo décidèrent d'organiser un somptueux banquet auquel ils convièrent tous leurs parents et amis. Lorsque leurs convives furent assis à table, Marco, Maffeo et Nicolo firent leur entrée dans la salle, revêtus de magnifiques habits de velours cramoisi à la mode de Venise. Puis Marco alla chercher les trois tenues de drap grossier dont ils étaient habillés lors de leur retour et, muni d'un couteau à la pointe effilée, il se mit à défaire les ourlets et les coutures pour en tirer une fabuleuse quantité des plus précieux joyaux : des rubis, des saphirs, des émeraudes, des diamants..., tous si bien dissimulés dans les doublures que nul n'aurait pu soupçonner leur présence. Ils expliquèrent que c'étaient les dons que le Grand Khan leur avait généreusement distribués lors de leur départ.

La vue d'un si grand trésor déposé sur les tables remplit l'assis-

Vous êtes à Venise. Vous traversez le Grand Canal en empruntant le pont de l'Académie, puis vous longez la rive vers l'est jusqu'à la pointe de la Douane (*Dogana* en italien) : là, à l'entrée du Grand Canal, l'Orient et l'Occident s'offrent à vous tandis que vous admirez le Palais des Doges (XIIe siècle) et ses multiples arcades.

tance d'admiration ; personne n'osa plus douter qu'il s'agissait bien de leurs compatriotes revenus sains et saufs du bout du monde, et tous s'empressèrent autour d'eux pour fêter leur retour.

Un émerveillement vieux de sept siècles

Ce n'est sans doute qu'une belle légende, qui offre d'ailleurs plus d'un point commun avec le récit du retour d'Ulysse à Ithaque, tel qu'Homère nous le conte dans *L'Odyssée* ; mais elle souligne l'émerveillement suscité par ces voyageurs intrépides qui ont osé s'aventurer dans l'Orient lointain, considéré depuis toujours comme terre de rêve et d'infinies richesses.

Il est vrai que les déplacements sont devenus si faciles à notre époque que l'étonnement a fait place à la routine, d'autant que les images des magazines, du petit ou du grand écran nous rendent sans cesse très proche ce qui paraissait si lointain lorsque la vitesse des moyens de communication se mesurait dans le meilleur des cas à la rapidité d'un cheval au galop ou à la force du vent dans les voiles. C'est pourquoi la lecture du livre de Marco Polo nous invite à accomplir un double voyage : voyage dans le temps autant que dans l'espace.

Sept siècles exactement nous séparent de la rédaction du *Devisement du monde* (1298). Si l'on veut en goûter la pleine saveur, il faut donc tenter de nous replacer, autant que faire se peut, dans la société de cette époque afin de nous rapprocher aussi bien de l'auteur que de son public. Entreprise évidemment difficile : comment oublier ce que nous sommes devenus, les progrès que nous avons accomplis, comment éviter de projeter sur le passé nos modes de pensée ? Les longues pauses que nous avons ménagées entre les parties du livre vous aideront à prendre le recul nécessaire et à mesurer l'écart qui sépare cette société de la nôtre.

L'Europe au Moyen Âge

L'Europe médiévale se caractérise par une organisation féodale, où la classe la plus puissante est celle des seigneurs possédant fiefs et châteaux et assurant la défense militaire de la terre. Au sommet de la pyramide, le roi ; autour de lui, les puissants comtes et barons ayant parfois des domaines aussi grands que le domaine royal ; à leur service des vassaux, à leur tour détenteurs de fiefs et entourés de chevaliers plus ou moins nombreux, liés à leur suzerain par le lien vassalique.

Dans cette société hiérarchisée, la vertu par excellence est la vaillance déployée sur le champ de bataille ou dans les tournois. Mais, avec l'importance accrue des cours qui se développent autour des seigneurs, l'esprit chevaleresque se teinte de plus en plus de courtoisie : on se plaît en la compagnie des dames, les mœurs s'affinent, on goûte le plaisir des fêtes, chacun tente de se distinguer par la délicatesse de ses manières et l'élégance de sa tenue vestimentaire. C'est alors que se répand la vogue des récits arthuriens qui célèbrent les prouesses des chevaliers de la Table ronde ou les amours de Lancelot pour la reine Guenièvre.

Une grande aventure
Nous retrouverons de nombreuses traces de ces valeurs de la société chevaleresque et courtoise dans *Le Devisement du monde*. Mais, tout en héritant du passé le livre affiche son originalité parce qu'il annonce des temps nouveaux. Le XIIIe siècle connaît en effet une extension très remarquable des villes, et le développement des activités artisanales et commerciales. Venise en offre une belle illustration, elle que sa situation sur l'eau a conduite très vite, surtout à partir du XIe siècle, à posséder une flotte assurant le transport des hommes (en particulier des croisés et des pèlerins qui vont à Jérusalem) aussi bien que des marchandises.

Progressivement, navires et marchands de Venise s'imposent dans tout le bassin méditerranéen : ils apportent à Alexandrie (Égypte) ou à Constantinople les produits de l'Europe du Nord (bois, fer, grains, draps, argent) et les échangent contre les marchandises venues d'Orient (soie, épices, bijoux). Mais la concurrence farouche avec les autres marchands, les Génois tout particulièrement, pousse les plus audacieux à s'aventurer toujours plus loin vers l'est.

Des plantes médicinales et autres
médications d'un autre âge,
sur un marché chinois d'aujourd'hui,
dans la région du fleuve Mekong.

Parmi ces audacieux figure la famille des Polo. Aux alentours de 1250, ils ont acquis une maison à Constantinople afin de faciliter leurs opérations commerciales ; c'est de là que les deux frères Nicolo et Maffeo partent en 1261, pour la Perse d'abord ; puis, profitant des relations étroites qui ont été établies entre ce pays et la Chine grâce à l'installation des Mongols dans une vaste zone qui s'étend depuis la mer de Chine jusqu'à la mer Noire, ils se rendent une première fois à la cour du Grand Khan Khoubilaï (1265-1266). Trois ans plus tard, ils sont de retour à Venise, prêts à repartir pour un second

Marco Polo sur une gravure inspirée d'un dessin de Bonatti (XVIIe siècle) : un des portraits imaginaires du grand voyageur.

voyage, comme ils l'ont promis au Grand Khan, mais cette fois ils emmènent avec eux le jeune Marco.

Un explorateur nommé Marco Polo

Marco est né en 1254. Il a donc dix-sept ans lorsque commence cette fabuleuse aventure qui le conduit à découvrir tant de paysages, de villes, d'hommes divers. On a pu s'étonner qu'il ait gardé autant de souvenirs si précis de ses voyages alors qu'il ne rédige le livre que plus tard, après son retour. Peut-être avait-il pris des notes, mais il est fort probable que sa mémoire ait été capable d'emmagasiner toutes ces impressions en raison de son extrême jeunesse, de son regard neuf, de sa disponibilité à apprendre dans le grand livre du monde en tendant l'oreille à ce qu'on raconte ici ou là et en ouvrant grands les yeux.

Sa seconde chance fut sans doute celle de gagner bien vite la confiance du Grand Khan. On ne sait pas exactement quelles missions lui furent confiées, mais nous n'avons pas de raisons de douter que Khoubilaï lui donna certaines responsabilités qui lui permirent d'acquérir une assez bonne connaissance du pays et des affaires de l'Empire mongol.

Il est vrai que son livre a déçu quelques lecteurs qui sont allés jusqu'à douter que Marco Polo soit allé en Chine. C'est oublier que ce texte contient une mine d'observations vraies que Marco est le premier à rapporter en Europe. Sans doute lui arrive-t-il de mentir – nous en fournirons au moins une preuve irréfutable – ou d'exagérer, d'embellir la réalité pour plaire à son public.

Mais c'est justement à nous d'être attentifs, de mettre en éveil notre esprit critique, voire de contrôler ses dires ! Ses réactions, ses attitudes, ses jugements nous en apprennent autant sur lui que sur ce qu'il raconte. Or il parle très peu de lui directement et nous n'avons pas d'autres témoignages sur sa personne, pas même de portrait qui nous aide à imaginer son aspect physique. Nous n'avons que son texte, qui de plus n'est pas entièrement de sa main puisque nous savons qu'un certain Rustichello de Pise a participé à son élaboration.

Pourtant, n'est-ce pas cela qui doit avant tout motiver notre lecture : à travers un texte, deviner l'homme qui a dit ces mots, percevoir ses goûts, ce qui l'étonne, ce qui l'amuse, ce qui le choque, et, à défaut de connaître sa personnalité, retrouver un peu les valeurs de cette époque, ce qu'elle jugeait important, ce qui la faisait rêver… ?

Suivons donc Marco Polo dans son beau voyage, en acceptant de bon cœur de troquer l'avion contre la mule ou le chameau et d'avancer au rythme lent des caravanes.

PREMIÈRE PARTIE

Le prologue

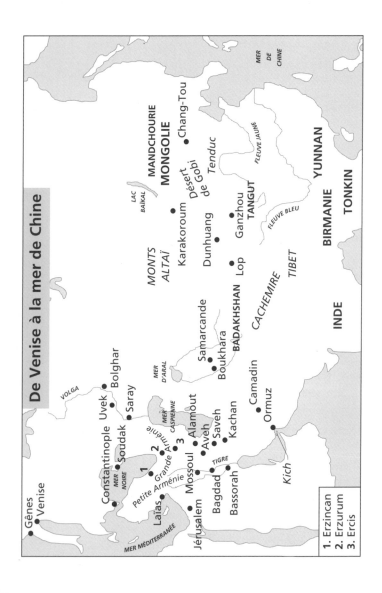

De Venise à la mer de Chine

Gênes
Venise
Constantinople Uvek Bolghar
MER NOIRE Soudak Saray
Petite Arménie VOLGA
Laïas Grande Arménie MER D'ARAL
Jérusalem MER CASPIENNE Samarcande
Mossoul Alamout Boukhara
Aveh BADAKHSHAN
Bagdad Saveh Camadin CACHEMIRE TIBET
Bassorah Kachan Ormuz
TIGRE MONTS INDE
Kich ALTAÏ Lop
MER MÉDITERRANÉE Karakoroum Dunhuang
LAC BAÏKAL Désert de Gobi Ganzhou TANGUT
MANDCHOURIE Tenduc FLEUVE BLEU
MONGOLIE Chang-Tou FLEUVE JAUNE
MER DE CHINE
BIRMANIE YUNNAN
TONKIN

1. Erzincan
2. Erzurum
3. Ercis

CHAPITRE I

Ici commence le livre appelé
Le Devisement du monde

Seigneurs, empereurs et rois, ducs et marquis, comtes, chevaliers et bourgeois, et vous tous qui voulez connaître les diverses races des hommes et les diversités des différentes régions du monde, prenez ce livre et faites-le lire. Et vous y trouverez toutes les très grandes merveilles et diversités de la Grande Arménie, de la Perse, des Tartares, de l'Inde, et de beaucoup d'autres pays, comme notre livre vous le contera de façon claire et ordonnée, selon ce que messire Marco Polo, sage et noble citoyen de Venise, raconte pour l'avoir vu de ses propres yeux. Il y a certaines choses qu'il ne vit pas lui-même mais qu'il a entendu raconter par des hommes dignes de foi. C'est pourquoi nous indiquerons s'il s'agit de choses qu'il a vues ou bien qu'il a apprises par ouï-dire, afin que notre livre dise la vérité, sans nul mensonge.

Et tous ceux qui liront ce livre ou l'entendront doivent croire ce qu'il raconte parce que c'est la vérité, car je vous dis que depuis que notre Seigneur Dieu fit de ses mains Adam, notre premier père, jusqu'à aujourd'hui, il n'y eut nul homme de nulle race, ni chrétien, ni païen, ni tartare, ni indien, qui connût ou parcourût autant de diverses régions du monde que messire Marco. C'est la raison pour laquelle il s'est dit qu'il serait très dommage qu'il ne fît pas mettre par écrit toutes les grandes merveilles qu'il vit et qu'il entendit raconter comme choses vraies, afin que ceux qui ne l'ont vu ni ne le savent le découvrent grâce à ce livre. Et je vous dis que, pour acquérir ce savoir, il resta bien vingt-six ans dans ces diverses régions et pays.

Ensuite, tandis qu'il demeurait à la prison de Gênes, il fit rédiger toutes ces choses à messire Rustichello de Pise, qui était dans cette même prison, en l'an 1298 après la naissance de Jésus-Christ.

CHAPITRE II

Comment messire Nicolo et messire Maffeo quittèrent Constantinople pour parcourir le monde

C'est la vérité qu'à l'époque où Baudouin était empereur de Constantinople, c'est-à-dire dans les années 1250, messire Nicolo Polo, père de messire Marc, et messire Maffeo Polo, frère de messire Nicolo, se trouvaient dans la ville de Constantinople, où ils étaient venus de Venise avec leur marchandise. Les deux frères étaient assurément nobles, sages et avisés. S'étant consultés, ils déclarèrent qu'ils voulaient aller en mer Noire afin de faire du commerce et d'accroître leurs gains. Ils achetèrent donc de nombreux bijoux et quittèrent Constantinople à bord d'un bateau pour gagner Soudak.

CHAPITRE III

Comment messire Nicolo et messire Maffeo quittèrent Soudak

Après avoir séjourné quelque temps à Soudak, ils décidèrent d'aller encore plus loin. Que vous en dirais-je ? Quittant Soudak, ils se mettent en route et chevauchent longtemps, sans rencontrer d'aventure digne d'être mentionnée, jusqu'à ce qu'ils parviennent chez Berké Khan, qui était le seigneur d'une partie des Tartares et résidait à cette époque à Bolghar et à Saray. Ce Berké reçut messire Nicolo et messire Maffeo avec beaucoup d'honneurs et fut très joyeux de leur venue. Les deux frères lui présentèrent tous les bijoux qu'ils avaient apportés, et Berké les prit très volontiers car ils lui plaisaient fort. Il leur en paya bien deux fois leur valeur et les envoya en divers lieux afin de les faire parer.

Ils séjournaient depuis un an sur les terres de Berké lorsqu'une guerre éclata entre Berké et Hulegu, le seigneur des Tartares du Levant. Chacun marcha contre l'autre avec toute son armée et ils se livrèrent bataille ; il y eut de part et d'autre de grandes pertes mais finalement Hulegu fut vainqueur. En raison de cette bataille et de cette guerre, personne ne pouvait circuler sans être fait prisonnier, du moins sur le chemin par lequel les deux frères étaient venus, car il était toujours possible de continuer à avancer. C'est pourquoi ils se dirent : « Puisque nous ne pouvons pas retourner à Constantinople avec nos marchandises, continuons notre chemin vers l'est : ainsi nous sera-t-il possible de revenir par une autre voie. »

Ayant fait leurs préparatifs, ils quittent Berké et gagnent une cité nommée Uvek[1], située à la frontière

---

1. Uvek : ou Ouvek, sur la rive droite de la Volga, au sud de Saratov.

avec le royaume du seigneur du Couchant ; de là ils repartent, passent le fleuve du Tigre et traversent un désert long de dix-sept journées : ils ne trouvent sur leur chemin ni villes ni châteaux mais seulement des Tartares avec leurs tentes, vivant de leur bétail.

CHAPITRE IV

Comment les deux frères traversent un désert et arrivent à la cité de Boukhara

Quand ils eurent traversé ce désert, ils arrivèrent à une cité qui s'appelle Boukhara, très grande et magnifique. La région porte le même nom et son roi se nommait Barac. C'était la plus belle ville de toute la Perse. Quand les deux frères y furent arrivés, il leur fut impossible de continuer leur route comme de rebrousser chemin ; c'est pourquoi ils y demeurèrent trois ans.

Pendant leur séjour vint un messager de Hulegu, le seigneur du Levant, qui se rendait chez le grand roi de tous les Tartares qui s'appelle Khoubilaï. Le messager s'étonna beaucoup de rencontrer messire Nicolo et messire Maffeo car il n'avait jamais vu de Latins dans cette région et il dit aux deux frères : « Seigneurs, si vous voulez me croire, vous en tirerez avantage et honneur. » Les deux frères lui répondent qu'ils sont prêts à le croire, pourvu qu'il s'agisse de quelque chose qu'ils puissent faire. Le messager leur dit : « Seigneurs, je vous affirme que le grand roi des Tartares n'a jamais vu aucun Latin et désire très vivement en voir ; c'est pourquoi, si vous voulez venir avec moi jusqu'à lui, je vous assure qu'il en aura très grand plaisir et vous traitera avec honneur et générosité. Vous pourrez venir avec moi en toute sécurité et sans rencontrer aucun obstacle. »

CHAPITRE V

Comment les deux frères décident de faire confiance au messager du Grand Khan

Quand les deux frères eurent entendu ce qu'il avait dit, ils se préparèrent et déclarèrent qu'ils le suivraient volontiers. Ils se mirent donc en chemin avec le messager et voyagèrent pendant un an dans la direction nord, nord-est avant d'arriver à destination, et ils virent beaucoup de choses extraordinaires dont nous ne vous parlerons pas maintenant puisque messire Marco, le fils de Nicolo, qui vit aussi tout cela, vous le racontera ensuite clairement dans ce livre.

CHAPITRE VI

Comment les deux frères arrivent auprès du Grand Khan

Quand messire Nicolo et messire Maffeo furent arrivés auprès du grand seigneur, il les reçut avec beaucoup d'honneurs et se réjouit de leur venue avec des manifestations de joie et de fête. Il leur posa de nombreuses questions : d'abord au sujet des empereurs, comment ils exercent le pouvoir et la justice, comment ils vont en guerre et tout ce qui les concerne. Ensuite, il les interrogea au sujet des rois, des princes et des autres barons.

CHAPITRE VII

Comment le Grand Khan interroge les deux frères au sujet de la chrétienté

Ensuite, il leur posa des questions au sujet du pape, de tout ce qui concerne l'Église de Rome et les coutumes des Latins. Messire Nicolo et messire Maffeo le renseignèrent en répondant avec sincérité et clarté à toutes ces questions et en faisant preuve de leur grand savoir, car ils connaissaient bien la langue des Tartares.

(Le Grand Khan décide alors de les charger d'une mission auprès du pape pour qu'il leur envoie cent hommes capables de les instruire dans la religion chrétienne. Il leur demande en outre de lui rapporter de l'huile du Saint-Sépulcre de Jérusalem. Les deux frères Polo reviennent en Europe afin de porter au pape le message du Grand Khan et vont à Venise : la femme de Nicolo est morte pendant son absence, mais son fils Marco est maintenant âgé de quinze ans. Les deux frères décident donc de repartir chez le Grand Khan en emmenant Marco avec eux ; après trois ans et demi de voyage, ils arrivent à Chang-Tou, l'une des résidences du Grand Khan...)

CHAPITRE XV

Comment les deux frères et Marco se présentent devant le Grand Khan en son palais

Que vous en dirais-je ? Quand messire Nicolo, messire Maffeo et Marco furent parvenus à cette grande ville, ils allèrent au palais principal, où ils trouvèrent le Grand Khan en compagnie d'un très grand nombre de barons. Ils s'agenouillèrent devant lui et se prosternèrent autant qu'ils purent. Le Grand Khan les fit se relever et les reçut avec beaucoup d'honneurs, leur manifestant sa grande joie et leur faisant fête. Il leur demanda comment ils se portaient et ce qu'ils avaient fait depuis leur départ. Les deux frères lui dirent que tout allait bien pour eux puisqu'ils l'avaient trouvé en bonne santé et heureux. Puis ils lui présentèrent les privilèges et les lettres que le pape lui envoyait et qui le réjouirent beaucoup. Ensuite, ils lui donnèrent la sainte huile, qui le remplit de joie et qu'il apprécia fort.

Lorsqu'il aperçut Marco qui était tout jeune homme, il demanda qui c'était. « Seigneur, dit messire Nicolo, c'est mon fils et votre homme. – Qu'il soit le bienvenu », dit le Grand Khan. Et pourquoi vous en ferais-je un long récit ? Sachez en vérité que la venue de ces messagers donna lieu à de grandes manifestations de joie et de fête de la part du Grand Khan et de toute sa cour. Tous se mettaient à leur service et les traitaient avec honneur et ils demeurèrent à la cour, où ils avaient la préséance sur les autres barons.

CHAPITRE XVI

Comment le Grand Khan charge Marco du soin d'accomplir ses ambassades

Or il advint que Marco, le fils de messire Nicolo, apprit si bien les coutumes des Tartares, leurs langues et leurs alphabets que c'en était extraordinaire ; je peux en effet vous assurer que, peu de temps après son arrivée à la cour du grand roi, il avait appris à parler et à écrire quatre langues. Il était extrêmement sage et avisé, et le Grand Khan l'aimait beaucoup pour la bonté qu'il voyait en lui et pour ses grandes qualités. Ayant constaté sa grande sagesse, il l'envoya pour être son messager dans un pays qu'il mit bien six mois à atteindre. Le jeune homme s'acquitta de son ambassade bien et sagement.

Or il avait souvent vu et entendu le Grand Khan taxer de fous et d'ignorants les messagers qu'il envoyait par les diverses régions du monde et qui, à leur retour, lui rendaient compte de leur ambassade, sans savoir lui dire d'autres nouvelles sur les contrées qu'ils avaient visitées. Il disait qu'il aimerait mieux entendre les nouvelles, les us et coutumes de ces contrées étrangères plutôt que des comptes rendus de missions. Et Marco, qui savait bien cela, lors de ses ambassades, portait la plus grande attention à toutes les nouveautés et à toutes les choses étranges qu'il y avait, afin de pouvoir les rapporter au Grand Khan.

(Après être demeurés dix-sept ans à la cour de Khoubilaï et tandis que Marco a effectué pour son seigneur de nombreuses ambassades qui l'ont conduit aux quatre coins de son immense empire, les Polo décident de rentrer à Venise et sont chargés d'accompagner une jeune princesse mongole, Cocacin, que trois barons d'Argoun, roi de la Perse mongole, sont venus chercher pour qu'elle devienne la nouvelle épouse de leur seigneur.)

CHAPITRE XIX

Comment messire Nicolo, messire Maffeo et Marco se séparèrent du Grand Khan

Quand le Grand Khan vit que messire Nicolo, messire Maffeo et Marco devaient partir, il les fit venir tous trois devant lui et leur donna deux plaques portant commandement qu'ils fussent libres de circuler par toutes ses terres et que, partout où ils allassent, leurs dépenses fussent prises en charge, pour eux comme pour leurs compagnons. Il leur confia des messages pour le pape, le roi de France, le roi d'Espagne et tous les autres rois de la chrétienté. Puis il fit préparer quatorze navires qui avaient chacun quatre mâts et voguaient souvent à douze voiles […].

Quand les navires furent prêts, les trois barons, la dame, messire Nicolo, messire Maffeo et Marco prirent congé du Grand Khan et s'installèrent dans les bateaux avec une foule de gens, tandis que le Grand Khan leur fit donner des provisions pour deux ans. Que vous en dirais-je ? Ils se mirent en mer et naviguèrent pendant trois mois jusqu'à ce qu'ils parvinssent à une île qui est vers le sud et qui s'appelle Sumatra, dans laquelle il y a beaucoup de merveilles que je vous conterai dans ce livre. Puis ils partirent de cette île et naviguèrent sur l'océan Indien dix-huit mois au moins avant de parvenir à leur destination ; et ils trouvèrent quantité de merveilles que nous conterons aussi dans ce livre.

Quand ils parvinrent à destination, ils apprirent qu'Argoun était mort ; la dame fut donc donnée à Ghazan, le fils d'Argoun. Et je vous dis sans mentir que, quand ils s'embarquèrent à bord des navires, ils étaient bien six cents personnes, sans compter les marins : tous moururent à l'exception de dix-huit personnes. À la tête du royaume d'Argoun, ils trouvèrent Ghaïkhatou ; ils lui recommandèrent la dame et s'acquittèrent auprès de lui de l'ambassade dont le Grand Khan les avait chargés, puis après avoir pris congé de lui, ils s'en allèrent et reprirent leur route […].

Et je dois encore vous dire quelque chose digne d'être mentionné car c'est tout à l'honneur de ces trois messagers […] : sachez que le Grand Khan avait en eux une telle confiance et leur portait une telle estime qu'il leur confia la reine Cocacin et aussi la fille du roi du Mangi afin qu'ils les amenassent à Argoun, le roi de tout le Levant. Ainsi firent-ils puisqu'ils les conduisirent par mer, comme je viens de vous le conter, avec une foule de gens et une grande quantité de provisions. Et je vous dis que ces deux grandes dames étaient sous la protection de ces trois messagers car ils veillaient à leur sauvegarde comme s'il s'était agi de leurs propres filles ; et les dames, qui étaient très jeunes et belles, les considéraient tous trois comme leur père et donc leur obéissaient ; et tous trois les remirent aux mains de leurs maris. Et je peux vous garantir que la reine Cocacin, femme de Ghazan qui règne maintenant, ainsi que son mari, avait tant d'affection pour les trois messagers qu'il n'était rien qu'elle n'eût fait pour eux, comme elle l'aurait fait pour son propre père ; car sachez que lorsque ces trois messagers la quittèrent pour revenir dans leur pays, elle pleura de pitié de devoir se séparer d'eux.

Je vous ai donc conté une chose bien digne de louanges quand à ces trois messagers furent confiées ces deux dames afin qu'ils les mènent de si lointaines contrées jusqu'à leurs maris. Maintenant, poursuivons [...]. Quand les trois messagers eurent quitté Ghaïkhatou, ils se mirent en route, chevauchant tant chaque jour qu'ils parvinrent à Trébizonde, et de Trébizonde ils vinrent à Constantinople, de Constantinople à Nègrepont, de Nègrepont à Venise ; et ce fut en l'année 1295.

Maintenant que j'en ai fini avec le prologue, je commencerai le livre.

Arrêt
sur
lecture 1

Le livre et la lecture au Moyen Âge

L'objet matériel qu'est le livre, de même que les conditions de la lecture, ont beaucoup évolué au cours des siècles, et un examen attentif de ces premiers chapitres, qui constituent l'introduction, ce que l'auteur nomme le *prologue* (étymologie : *pro* « avant » et *logos* « discours »), va nous permettre de mesurer la différence radicale qui sépare, dans ce domaine, l'époque de Marco Polo (le texte a été écrit en 1298) de la nôtre. Ces chapitres contiennent en effet de précieuses indications sur la façon dont l'œuvre a été rédigée et, plus généralement, sur les conditions de diffusion d'un texte au Moyen Âge. Deux faits majeurs expliquent cette différence.

L'imprimerie n'existe pas encore en Europe
Alors que les Chinois l'utilisent déjà depuis le VIIe siècle, l'imprimerie sera inventée par l'allemand Gutenberg au XVe siècle seulement : il imprime le premier livre en 1455. Avant cette date, les livres sont

copiés à la main sur des **parchemins** (peaux de mouton, d'agneau ou de chevreau séchées et non tannées). Ce travail très long et minutieux est accompli essentiellement par des moines, et les bibliothèques les plus importantes se trouvent dans les monastères. Ces conditions expliquent que les livres soient rares et coûteux.

La majorité des gens ne sait ni lire ni écrire
Ceux qui sont instruits sont principalement les **clercs** qui constituent une petite élite, gens d'Église qui ont fait des études dans les écoles, encore peu nombreuses, qui dépendent de l'Église et dispensent un enseignement avant tout religieux.

L'adresse au public : le premier chapitre

Ces conditions particulières vont nous permettre de comprendre un certain nombre de détails contenus dans le premier chapitre, lequel constitue une présentation de l'ouvrage. Certes, nous sommes habitués à ce que l'auteur d'un roman ou d'un essai s'adresse à nous, lecteurs, dans une **préface** afin d'indiquer le contenu du livre, les circonstances et les buts dans lesquels il a été écrit. Mais, ici, la situation est différente, beaucoup plus **vivante**, et celui qui parle ressemble un peu au personnage d'un *spot* publicitaire qui nous recommande l'achat de tel ou tel produit : en effet, il s'agit de capter l'attention de l'auditoire et donc de vanter les qualités du texte qu'on va lui lire…

Les deux pôles de la communication

Examinons de plus près les personnages qui se trouvent aux deux pôles de la communication qu'il s'agit d'instaurer pour introduire la lecture du livre : les destinataires et l'auteur.

Les destinataires – La longue énumération qui ouvre le discours passe en revue les divers représentants de la classe aristocratique en commençant par les plus prestigieux – les empereurs et les rois – et descend les degrés de la hiérarchie jusqu'à la classe des **bourgeois.** À l'époque de Marco Polo, la bourgeoisie est constituée par les artisans et les marchands, c'est une classe en pleine expansion – comme en témoigne justement la famille des Polo – qui vient concurrencer la **noblesse**, jusque-là toute-puissante. Le livre veut donc s'adresser à un large public mais surtout à un public noble : les titres ici mentionnés ne pouvaient qu'attirer et flatter les oreilles des destinataires !

Pourtant quelques détails intriguent : ainsi, les destinataires sont conviés à *prendre le livre et à le faire lire* et, un peu plus loin, on parle de ceux qui *liront ou entendront* ce livre. Souvenez-vous de ce que nous disions plus haut : la majorité des gens ne sait pas lire, ils vont donc prendre connaissance du livre par la lecture que leur en fait un homme instruit, clerc le plus souvent, qui lit à voix haute pour un nombre variable d'**auditeurs**.

L'auteur – En fait, il faudrait parler **des** auteurs. Ce premier chapitre nous montre en effet que Marco Polo n'est pas celui qui s'adresse ici directement à nous, puisque, pour le désigner, c'est la troisième personne qui est utilisée et non la première. Ainsi, dans la phrase qui commence par : « Et je vous dis que, pour acquérir ce savoir, il resta… », le *je* du narrateur, de celui qui parle, est nettement distinct du *il* désignant Marco. À qui réfère ce *je* ? Son identité nous est dévoilée dans la dernière phrase du chapitre : il s'agit de Rustichello de Pise, que l'on connaît par ailleurs comme auteur de romans de chevalerie. C'est donc un homme qui fait profession d'écrire alors que Marco Polo, qui a probablement une culture scolaire limitée, n'est guère habitué à rédiger des livres.

Or, si l'on en croit ce que dit la fin du premier chapitre, le hasard va les réunir en prison ! En effet, les Pisans, les Génois et les Vénitiens se livraient une lutte sans merci afin d'obtenir la suprématie commerciale, en particulier par la maîtrise des mers, et Marco Polo aurait été fait prisonnier au cours de la bataille navale de Curzola où les Génois écrasèrent les Vénitiens. Quant à Rustichello, qui était de Pise, nous ne savons point ce qui le conduisit dans la même prison que Marco Polo. Mais tous deux vont mettre à profit leur séjour forcé pour faire **ensemble** ce livre : Marco réunit tous les souvenirs emmagasinés pendant ses vingt-six années de voyages et Rustichello les met par écrit.

La langue utilisée

Le livre a été rédigé en français et non en italien, ce qui peut s'expliquer pour deux raisons : d'abord, c'est dans cette langue que les grands succès littéraires de l'époque étaient écrits (chansons de geste et romans de chevalerie en particulier) ; et, de plus, le français jouait alors un peu le rôle qu'a l'anglais de nos jours : on l'utilisait comme langue de communication dans certains pays, entre autres au Moyen-Orient où nombreux étaient les Français venus s'installer avec les croisades.

Il est possible que Rustichello, qui écrivait des romans de chevalerie, connaissait mieux la langue française que Marco. C'est donc à la fois pour ses compétences d'écrivain et pour sa connaissance du français que Marco aurait utilisé ses services afin d'écrire *Le Devisement du monde*.

Un récit oral

Pour les diverses raisons que nous venons de voir, le livre de Marco Polo se présente avant tout comme un **récit oral**, ainsi vous trouverez souvent des adresses au public, destinées à attirer l'attention des auditeurs. Quant à la voix du conteur, elle n'est pas toujours facile à identifier car c'est, à la fois, celle de Rustichello qui nous parle du voyageur et celle de Marco qui raconte ce qu'il a vu à celui qui note et organise toutes ces informations.

Les auteurs interpellent le public pour lui indiquer le contenu du livre, mais surtout pour **exciter sa curiosité**. Voyez en particulier tous les procédés destinés à vanter les qualités du voyageur et à mettre en évidence ce qui en fait proprement un être d'exception. La publicité contemporaine n'a rien inventé quand elle nous assure que le tout nouveau produit « TRUC » est absolument unique et que par son efficacité il éclipse tous les autres ! Toutefois, ici, le but de l'opération publicitaire est particulier : il ne s'agit pas d'inviter le public à acheter mais à **accroître ses connaissances** grâce au savoir que Marco Polo a acquis sur tous les pays qu'il a visités et tous les peuples qu'il a rencontrés.

Merveilles et vérité mêlées

Deux critères sont ici retenus pour vanter le contenu du livre : le **merveilleux** et la **vérité**. Or ne s'opposent-ils pas ? Ainsi, quand vous voulez raconter une chose extraordinaire, vous êtes parfois amené à exagérer ou à déformer pour susciter davantage d'étonnement chez votre interlocuteur. En outre, comme Marco Polo nous le dit, il n'a pas vu lui-même tout ce qu'il raconte : peut-on croire dans ces conditions tout ce qu'il rapporte ?

D'autre part, si les gens de l'époque étaient loin d'être des ignorants, leurs connaissances étaient plus limitées ; elles étaient surtout très imprégnées par le **surnaturel** : ainsi on croyait que Dieu pouvait intervenir en faisant des miracles, que le diable pouvait apparaître dans certaines circonstances, et il ne paraissait pas impossible qu'il existe des animaux fabuleux tels que les dragons. Il faudra donc être attentif chaque fois que Marco évoque des faits extraordinaires pour savoir ce qu'il considère comme tels et ce qu'il nous apprend ainsi sur sa manière de voir le monde.

Le récit des voyages

Plutôt que du récit de voyage, il faut parler ici du récit **des** voyages puisque les chapitres II à XIX évoquent une série de voyages effectués par la famille Polo. Notons d'abord une particularité : contrairement au récit de voyage moderne où l'auteur nous raconte en même temps l'itinéraire qu'il a suivi et ce qu'il a vu au fur et à mesure de ses déplacements, *Le Devisement du monde* sépare ces deux éléments ; il place les indications concernant les voyages dans le prologue, tandis que ce que le voyageur a vu et entendu dire constitue le livre proprement dit. Cette présentation peut nous paraître surprenante mais nous aurons plus loin l'occasion de la justifier, à la fois par l'esprit de l'époque et par les intentions de l'auteur.

Nous n'avons retenu que quelques chapitres relatant les divers voyages des Polo, préférant résumer les autres (voyez les deux passages en italique). Ces extraits nous permettent cependant de dégager un certain nombre d'informations.

Les indications concernant l'espace et le temps

Elles ne sont pas toujours précises ni complètes mais elles nous permettent malgré tout de situer en partie les déplacements de Nicolo, Maffeo et Marco Polo dans l'espace et aussi dans le temps (dates et durées).

Relevez ces diverses indications et regroupez-les dans un tableau à quatre entrées : le (ou les) voyageur(s) ; les lieux ; les dates ou durées ; le moyen de transport utilisé. N'oubliez pas de regarder les cartes afin d'avoir une idée plus claire du parcours des voyageurs !

Les raisons données pour chaque déplacement

Relevez les diverses raisons fournies par le texte pour expliquer le but de chacun des voyages accomplis par la famille Polo. Ce relevé va vous permettre de dégager une évolution intéressante car, si les Polo partent d'abord pour satisfaire leurs intérêts personnels, ils se voient progressivement attribuer des fonctions de plus en plus importantes.

La présentation de Marco

Il apparaît discrètement au début, puis devient le héros du livre. Trois moments sont importants :
– la scène où il est présenté au Grand Khan. Notez en particulier le petit dialogue au style direct entre Khoubilaï et Nicolo Polo et lisez l'extrait de la pièce de théâtre d'E. O'Neill, *Marco Millions* (p. 37). Montrez

comment il développe – et avec quel humour ! – des éléments contenus de façon seulement allusive dans le texte de Marco Polo ;
– le bref récit de sa formation : on peut dire que l'arrivée du jeune
Marco à la cour du Grand Khan va lui permettre de recevoir une formation accélérée, plus riche et dense que plusieurs années d'école !
– le type de mission que lui confie le Grand Khan : pourquoi le
Grand Khan l'apprécie-t-il comme messager pour ses provinces lointaines ? Quel rapport peut-on établir entre le rôle que joue Marco
auprès du Grand Khan et la fonction qu'il remplit auprès de son
public médiéval (et, plus généralement, auprès des lecteurs de son
livre, autrefois comme de nos jours) ?

Les divers renseignements contenus dans ces chapitres nous ont
permis de vérifier en partie l'affirmation proclamée bien haut dans le
premier chapitre : assurément, Marco Polo fut un grand voyageur !
Mais le but d'une telle introduction est aussi de nous mettre en
appétit quant aux merveilles qui nous sont promises et surtout de
nous convaincre que le voyageur qui raconte tout ce qu'il a vu et
entendu mérite toute notre confiance. N'a-t-il pas eu en effet celle
du Grand Khan Khoubilaï, l'empereur qui règne alors sur la presque
totalité de l'Asie ? Alors imaginons maintenant ce dernier accueillant
Marco qui vient de rentrer d'une de ses lointaines missions et faisons
comme lui : ouvrons grandes nos oreilles pour l'écouter !

Déchiffrez les chiffres romains !

Nous avons gardé la numérotation des chapitres en chiffres romains
et non en chiffres arabes, comme nous les utilisons aujourd'hui.

Comment lire ces chiffres ?

1. Le nombre de signes à connaître pour ce texte est très réduit. Il y en a cinq :

I	V	X	L	C
1	5	10	50	100

2. Pour composer les chiffres, on ajoute ces signes l'un à l'autre, de gauche à droite. C'est là que réside la difficulté : la lecture de ces chiffres nécessite une brève opération :

III	VI	XV	LXX	CXXI
1+1+1	5+1	10+5	50+10+10	100+10+10+1
= 3	= 6	= 15	= 70	= 121

3. L'opération essentielle est l'addition. Mais on utilise aussi la soustraction dans quatre cas : pour écrire quatre, neuf, quarante et ses composés, quatre-vingt-dix et ses composés. Le chiffre à soustraire est placé avant, ce qui donne :

$$IV : 5 - 1 = 4$$
$$IX : 10 - 1 = 9$$
$$XL : 50 - 10 = 40$$
$$XC : 100 - 10 = 90$$

4. On peut donc avoir les deux opérations qui se combinent afin de former le chiffre :

$$XIV : 10 + (5 - 1) = 14$$
$$XIX : 10 + (10 - 1) = 19$$
$$XLIII : (50 - 10) + 1 + 1 + 1 = 43$$
$$XCI : (100 - 10) + 1 = 91$$

à vous...

1 – Traduisez en chiffres arabes : XVIII, XXXIV, LXIX, CCII, CXLIX.

2 – Écrivez en chiffres romains : 76, 94, 141, 299, 315, 344.

Texte à l'appui

« *Marco, debout, portant toujours ses valises de voyageur de commerce, jette autour de lui, bouche bée, des regards ahuris et éblouis. Son père et son oncle, multipliant les courbettes, s'approchent du pied du trône et s'agenouillent devant le Khan. Ils font des signaux frénétiques à Marco pour l'inviter à en faire autant, mais il est trop ahuri pour voir ces signaux. Tous les gens qui sont dans la salle le regardent fixement. Le Khan considère les deux frères Polo d'un air sévère. Un huissier du palais s'approche discrètement de Marco et, par gestes, lui enjoint violemment de s'agenouiller.*

MARCO, *se méprenant sur le sens de ces gestes; avec reconnaissance.* – Merci, mon vieux. (*Aux yeux horrifiés de la Cour entière, il s'assied sur l'une des valises. Tout en écoutant le rapport du messager qui a escorté les Polo, le Khan continue de regarder Maffeo et Nicolo, les sourcils froncés, de sorte qu'il ne remarque pas le comportement de Marco. Un Chambellan indigné se précipite et fait signe à celui-ci de s'agenouiller. Ahuri* :) Qu'est-ce qu'il y a qui ne va pas, maintenant?

KOUBILAÏ *congédie le Messager après avoir entendu son rapport; puis il s'adresse froidement aux Polo.* – Je vous souhaite la bienvenue, Messieurs Polo. Mais où sont les cent sages de l'Occident qui devaient discuter avec mes sages sur les enseignements sacrés de Lao-Tseu, de Confucius, du Bouddha et du Christ?

MAFFEO, *vivement.* – Le nouveau Pape n'a été élu qu'au moment où nous…

NICOLO. – Et de toute manière, il n'avait pas de sages à sa disposition.

> *Le Khan voit maintenant Marco et une expression intriguée apparaît sur son visage.*

KOUBILAÏ. – Il est avec vous?

NICOLO, *d'une voix hésitante.* – C'est mon fils Marco, Votre Majesté… Il est encore jeune et gauche.

KOUBILAÏ. – Viens ici, Marco Polo.

> *Marco s'avance, essayant sans grand succès de prendre un air hardi et plein d'assurance.*

MAFFEO, *en aparté mais d'une voix haute et furieuse.* – À genoux, espèce d'âne!

> *Marco s'agenouille n'importe comment.*

KOUBILAÏ, *avec un sourire.* – Je vous souhaite la bienvenue, Messire Marco.

MARCO. – Merci beaucoup, Monsieur… je veux dire, merci votre Seigneurie… votre… (*Brusquement* :) Pendant que j'y pense… le Pape m'a chargé d'un message pour vous, Sire.

KOUBILAÏ, *souriant.* – Serais-tu par hasard les cent sages que je lui avais demandés?

MARCO, *avec assurance.* – Ma foi… presque. Il m'a envoyé à leur place. Il a dit que, pour vous, je vaudrais bien cent sages.

NICOLO, *vivement.* – Sa Sainteté a voulu dire que Marco, en menant une vie intègre – sans négliger, bien entendu, le côté pratique –, pourrait constituer un exemple qui illustrerait, mieux que des paroles de sagesse, le produit de chair et de sang de notre civilisation chrétienne.

KOUBILAÏ, *avec un sourire.* – Je sens que je vais étudier cette apothéose humaine avec un inlassable intérêt.

MARCO, *brusquement, d'un air plein d'assurance.* – Ce n'est pas tout bonnement pour plaisanter que vous avez demandé ces cent sages ? Sa Sainteté a pensé que vous deviez avoir un certain sens de l'humour. Ou que vous étiez sûrement un optimiste.

KOUBILAÏ, *avec un sourire d'appréciation.* – Votre Pieux Pape est, je le crains, un cynique très impie. (*Comme s'il essayait de résoudre mentalement une énigme ; pensif* :) Se peut-il qu'il ait cru que ce jeune homme possède cette chose nommée âme, dont l'Occident rêve qu'elle vit après la mort… et qu'il l'ait cru capable de me la révéler ? (*Brusquement à Marco* :) As-tu une âme immortelle ?

MARCO, *avec surprise.* – Bien sûr ! Le dernier des idiots sait ça.

KOUBILAÏ, *humblement.* – Mais moi, je ne suis pas un idiot. Peux-tu me le prouver ?

MARCO. – Voyons, si vous n'aviez pas une âme, qu'arriverait-il quand vous mourrez ?

KOUBILAÏ. – Oui, justement, qu'arriverait-il ?

MARCO. – Rien, voyons ! Vous seriez mort… exactement comme un animal.

KOUBILAÏ – Ta logique est irréfutable.

MARCO. – Eh bien, moi, je ne suis pas un animal, n'est-ce pas ? Il me semble que c'est assez évident, non ? (*Avec fierté* :) Non, Monsieur ! Je suis un homme créé à son Image par le Tout-Puissant, et cela pour Sa plus grande gloire !

KOUBILAÏ *le regarde un long moment, impressionné ; puis, avec une sorte de ravissement.* – Ainsi, tu serais l'Image de Dieu ! Il est certain qu'il y a en toi quelque chose, quelque chose de complet et de péremptoire… Mais, attends… nous allons te mettre à l'épreuve !

> *Il frappe des mains en montrant Marco. Des soldats, l'épée nue, bondissent en avant, saisissent le jeune homme et lui lient les mains derrière le dos.*

MAFFEO, *suppliant.* – Pitié ! C'est encore un enfant !

NICOLO, *même jeu.* – Pitié ! Il ne sait pas ce qu'il dit !

KOUBILAÏ, *sévèrement.* – Silence ! (*À Marco, avec un calme inhumain* :) Puisque tu possèdes la vie éternelle, cela ne peut pas te faire de mal si on te coupe la tête.

> *Il fait un signe à un soldat qui brandit son épée.*

MARCO, *essayant de dissimuler sa peur sous un air de plaisanterie mal assuré.* – Je… Je pourrais… attraper froid !

KOUBILAÏ. – Tu plaisantes, mais ta voix tremble ! Eh quoi ! Aurais-tu peur de mourir, immortel jeune homme ? Allons, si tu reconnais que ton âme est une stupide invention de ta peur et que, lorsque tu mourras, tu seras aussi mort qu'un chien mort…

MARCO, *avec une soudaine furie.* – Vous êtes un menteur de païen !

Il regarde le Khan avec défi. Son père et son oncle gémissent de terreur. Le Khan rit et frappe dans ses mains. Les soldats libèrent Marco.

KOUBILAÏ, *observant avec amusement le visage boudeur et soulagé de Marco.* – Je te demande pardon. Marco ! Je croyais avoir découvert un point faible, mais tu es parfait. Tu es incapable d'imaginer ta mort. Tu es un héros-né. Il va falloir que je te garde auprès de moi. Tu me parleras de ton âme, et je t'écouterai comme j'aurais écouté les cent sages de l'Occident ! D'accord ? »

Eugène O'Neill, *Marco Millions,* L'Arche, 1964.

DEUXIÈME PARTIE

Voyage aller

CHAPITRE XX

La Petite Arménie

Il est vrai qu'il y a deux Arménies : une Grande et une Petite. La Petite est gouvernée par un roi qui administre bien sa terre et qui est sujet des Tartares. Il y a quantité de villes et de châteaux, et on trouve de tout en grande abondance. C'est aussi un lieu où l'on prend grand plaisir à toutes sortes de chasse, et de bêtes et d'oiseaux. Mais je vous dis que ce n'est pas une région saine ; elle est au contraire très malsaine. Autrefois, les hommes de noble naissance étaient vaillants et courageux au métier des armes, mais maintenant ils sont misérables et lâches et n'ont aucune qualité, si ce n'est que ce sont d'excellents buveurs. En outre, il y a sur la mer une ville qui est appelée Laïas, où se fait un grand commerce : car sachez assurément qu'on apporte dans cette ville toutes les épices et toutes les étoffes provenant de l'intérieur, ainsi que d'autres produits précieux. Et les marchands de Venise, de Gênes et de partout ailleurs y viennent pour les acheter. Tous les voyageurs et marchands qui veulent se rendre dans l'intérieur des terres partent de cette ville […].

CHAPITRE XXII

La Grande Arménie

La Grande Arménie est un vaste pays, qui commence à une ville appelée Erzincan, où l'on fabrique les meilleures cotonnades du monde. Il y a les plus beaux bains d'eau jaillissant de terre et les meilleurs qu'on puisse trouver. Les habitants sont Arméniens et sujets des Tartares. Nombreux sont les châteaux et les villes ; celles qui ont le plus de renom sont Erzincan – qui a un archevêque –, Erzurum et Ercis. Le pays est très étendu. Et je peux vous dire que, l'été, toute l'armée des Tartares du Levant y demeure parce que dans ce pays, il y a de très bons pâturages pour le bétail. Ils y séjournent donc l'été, mais l'hiver, ils ne peuvent y rester à cause du grand froid et de la neige qui est très abondante, qui ne permet pas aux bêtes de trouver de quoi manger. C'est pourquoi, l'hiver, les Tartares s'en vont vers des endroits chauds où ils trouvent de grands herbages et de bons pâturages pour leur bétail. Et je peux vous dire aussi que dans cette Grande Arménie se trouve l'Arche de Noé[1] sur une haute montagne.

Ce pays est limitrophe au sud-est avec un royaume qui est appelé Mossoul dont les habitants sont chrétiens – ce sont des Jacobites et des Nestoriens[2] – et au nord avec les Géorgiens [...]. Près de cette frontière avec la Géorgie, il y a une fontaine d'où jaillit l'huile[3] en si grande abondance qu'on pourrait bien en charger cent bateaux en même temps. Mais cette huile n'est pas bonne à manger, on s'en sert pour brûler et on l'applique aussi aux chameaux qui ont la gale. Les gens viennent de très loin pour cette huile et dans toute la contrée alentour, on ne brûle pas d'autre huile [...].

CHAPITRE XXV

Comment fut prise la grande cité de Bagdad

Bagdad est une très grande ville, où se trouvait le calife de tous les sarrasins du monde, de même qu'à

---

1. Noé : on pensait que lors du Déluge, l'arche de Noé avait trouvé refuge au sommet du mont Ararat.
2. Jacobites et Nestoriens : il s'agit de chrétiens dont la doctrine différait sur plusieurs points de celle de l'Église de Rome. La plupart des chrétiens que Marco Polo rencontrera en Asie centrale et en Chine sont des nestoriens. Cette secte chrétienne s'est formée au Ve siècle lorsque le patriarche de Constantinople Nestorius fut condamné par l'Église car on lui reprochait de soutenir des thèses non conformes à la doctrine chrétienne. Les nestoriens se réfugièrent d'abord en Perse puis en Asie centrale où ils firent de nombreux adeptes.
3. Huile : il s'agit du pétrole, dont on savait apprécier déjà certaines vertus.

Rome l'on trouve le chef de tous les chrétiens du monde. Au milieu de la ville coule un très grand fleuve[1], par lequel on peut aller jusqu'en l'océan Indien et sur lequel vont et viennent les marchands avec leurs marchandises. Et sachez que, de Bagdad jusqu'à l'océan Indien, le fleuve a bien dix-huit journées de long ; les marchands qui désirent aller en Inde vont par ce fleuve jusqu'à une ville qui s'appelle Kich, et de là ils entrent dans l'océan Indien. Sur ce fleuve, entre Bagdad et Kich, on trouve aussi une grande ville appelée Bassorah ; tout autour, dans les bois, poussent les meilleures dattes du monde. À Bagdad, on fabrique toutes sortes de draps d'or et de soie [...], richement ornés de bêtes et d'oiseaux. C'est la ville la plus grande et la plus magnifique de toutes ces contrées.

Sachez assurément que le calife de Bagdad possédait le plus grand trésor d'or, d'argent et de pierres précieuses que jamais homme pût posséder, et je vais vous dire ce qu'il en advint. C'est la vérité qu'aux alentours de l'année 1255[2], le grand seigneur des Tartares du Levant qui s'appelait Hulegu, frère du Grand Khan qui règne actuellement, assembla une immense armée, marcha sur Bagdad et s'en empara. Et ce fut bien extraordinaire car il y avait à Bagdad plus de cent mille chevaliers, sans compter les fantassins. Quand il l'eut prise, il découvrit que le calife

1. Un très grand fleuve : le Tigre.
2. Aux alentours de... 1255 : l'événement eut en fait lieu en février 1258.

avait une tour toute remplie d'or, d'argent et d'autres trésors, tels qu'on n'en vit jamais une si grande quantité dans un seul et même lieu.

Émerveillé à la vue de ce grand trésor, il ordonne d'aller chercher le calife et de l'amener devant lui, puis il lui dit : « Calife, pourquoi avoir amassé un si grand trésor ? Que devais-tu faire ? Ne savais-tu que j'étais ton ennemi et que je marchais contre toi avec une très grande armée pour t'enlever ton royaume ? Puisque tu le savais, pourquoi n'as-tu pas pris ton trésor pour le distribuer aux chevaliers et aux hommes d'armes afin d'assurer ta défense et celle de ta ville ? » Le calife ne répondit rien, ne sachant que dire. Alors Hulegu lui dit : « Calife, puisque je vois que tu aimes tant le trésor, je vais te le donner à manger, vu qu'il t'appartient. »

Il ordonne alors de s'emparer du calife, de l'installer dans la tour du trésor et de ne rien lui donner à manger ni à boire ; et il lui dit : « Calife, mange maintenant autant de ton trésor que tu voudras puisqu'il te plaît tant, car tu n'auras jamais rien d'autre comme nourriture. » Ensuite, il l'abandonna dans la tour et le calife y mourut au bout de quatre jours. Assurément, le calife aurait eu tout intérêt à donner son trésor à ses hommes pour défendre sa terre et ses gens, au lieu de mourir avec tous les siens et de perdre son royaume. Et ce calife fut le dernier ; après lui, il n'y en eut plus d'autre. […]

CHAPITRE XXXI

Le grand pays de Perse

La Perse est un pays très vaste qui fut autrefois de grand renom et très riche, mais il a été récemment détruit et dévasté par les Tartares. C'est en Perse que se trouve la ville de Saveh dont partirent les trois rois Mages pour venir adorer Jésus-Christ ; les trois Mages y sont ensevelis dans trois tombeaux très grands et magnifiques ; sur chaque tombeau, placé l'un à côté de l'autre, il y a une construction quadrangulaire surmontée d'une voûte et fort bien ouvragée. Les corps sont encore tout entiers, avec les cheveux et la barbe. L'un s'appelait Balthazar, l'autre Gaspard et le troisième Melchior.

Messire Marco chercha à obtenir des informations sur ces trois Mages auprès de plusieurs habitants de cette ville, mais il n'y eut personne qui pût lui en donner, sauf qu'ils disaient qu'il s'agissait de trois rois qui furent jadis ensevelis en cet endroit. Voici cependant ce qu'il apprit ensuite à leur sujet.

À trois journées de là, ils trouvèrent un château qui est appelé Kalaï Atachparastan, ce qui signifie en français *château des adorateurs du feu* : telle est bien la vérité car les hommes de ce château adorent le feu, et je vais vous en dire la raison. Ils racontent que jadis, trois rois de cette contrée allèrent adorer un prophète qui était né et lui apportèrent trois présents – or, encens et myrrhe[1] – pour savoir si ce prophète était un dieu ou un roi terrestre ou bien un médecin. Ils se disaient en effet : s'il prend l'or, c'est un roi terrestre, s'il prend l'encens, c'est un dieu et s'il prend la myrrhe, c'est un médecin. Lorsqu'ils furent arrivés à l'endroit où l'enfant était né, le plus jeune des trois rois alla seul voir l'enfant et le trouva semblable à lui-même quant à l'âge et à la taille ; il sortit tout étonné. Ensuite y alla le second qui était d'âge moyen, et l'enfant lui fit la même impression qu'au premier, à savoir d'être du même âge et de la même taille que lui ; et à son tour, il sortit tout ébahi. Puis le troisième y alla, qui était le plus âgé, et il lui arriva ce qui était arrivé aux deux premiers ; à son tour, il sortit tout pensif.

Quand les trois rois furent ensemble, chacun dit à l'autre ce qu'il avait vu, ce qui redoubla encore leur étonnement, et ils décidèrent d'aller tous les trois ensemble devant l'enfant. Arrivés là, ils constatèrent qu'il avait l'aspect et l'âge qu'il devait avoir : il n'était en effet âgé que de treize jours. Alors ils l'adorèrent et lui offrirent l'or, l'encens et la myrrhe. L'enfant prit les trois présents et leur donna une boîte bien fermée. Les trois rois s'en allèrent pour revenir dans leur pays.

---

1. Myrrhe : résine odorante et médicinale fournie par un arbre d'Arabie.

CHAPITRE XXXII

Des trois Mages
qui vinrent adorer Dieu

Quand ils eurent chevauché quelques journées, ils décidèrent de regarder ce que l'enfant leur avait donné. Ils ouvrent donc la boîte et à l'intérieur trouvent une pierre. Ils se demandent avec étonnement ce que cela peut être. L'enfant leur avait fait ce présent pour leur faire comprendre qu'ils devaient rester aussi fermes que la pierre dans la foi à laquelle ils avaient commencé de croire. En effet, quand ils avaient vu l'enfant prendre les trois présents, ils avaient reconnu qu'il était Dieu, roi terrestre et médecin. Et l'enfant, voyant leur foi, leur fit don de la pierre pour leur enseigner à rester fermes et constants dans leur croyance. Mais les trois rois prirent cette pierre et la jetèrent dans un puits car ils ignoraient la raison d'un tel présent. Aussitôt, un feu ardent descendit du ciel et tomba droit dans le puits.

Quand les trois rois virent ce prodige, ils furent stupéfaits et se repentirent d'avoir jeté la pierre, dont ils découvraient la signification haute et bonne. Ils prirent aussitôt de ce feu qu'ils emportèrent dans leur pays et placèrent dans l'une de leurs églises, très belle et riche. Depuis, ils le font toujours brûler et l'adorent comme un dieu, et c'est avec ce feu qu'ils procèdent à leurs sacrifices ; si, par hasard, il arrive que le feu s'éteigne, ils vont trouver ceux qui partagent leur foi et adorent le feu, afin d'obtenir du feu qui brûle dans leur église pour ranimer le leur ; et ils ne se servent jamais pour le ranimer d'un autre feu que celui dont je vous ai parlé. Dans ce but, ils parcourent souvent dix journées.

Ainsi, telle est la raison pour laquelle les habitants de cette contrée adorent le feu, et ils sont nombreux. Ce sont ceux du château qui racontèrent tout cela à messire Marco Polo, selon la stricte vérité. Et j'ajoute que l'un des trois Mages était de Saveh, l'autre d'Aveh et le troisième de Kachan. [...]

CHAPITRE XXXVI

La ville de Camadin

Lorsque l'on a parcouru pendant deux journées la longue descente [de la montagne], on découvre une très vaste plaine à l'entrée de laquelle se trouve la ville de Camadin, qui jadis était importante et de grand renom mais elle a maintenant perdu sa grandeur et sa puissance, dévastées à plusieurs reprises par des Tartares venus d'ailleurs. Et je peux vous dire que dans cette plaine, il fait très chaud.

La région par laquelle nous commençons s'appel- le Reobar. Elle produit des dattes, des pommes de paradis[1], des pistaches et d'autres fruits qui n'existent pas dans nos pays froids. Dans cette plaine vit une espèce d'oiseaux que l'on appelle francolins[2], qui sont différents des francolins des autres pays : en effet, ils sont à la fois noirs et blancs et ont les pattes et le bec rouges. Les autres animaux sont aussi différents, et je vous parlerai d'abord des bœufs[3] : ils sont très grands et tout blancs comme neige, ils ont le poil ras et lisse, à cause de la chaleur du lieu. Leurs cornes sont courtes, grosses et non effilées et, entre les épaules, ils ont une bosse ronde, ayant bien deux paumes de hauteur. C'est bien la plus belle chose au monde qu'on puisse voir ! Lorsqu'on veut les charger, ils se couchent comme font les chameaux puis se relèvent lorsqu'ils ont reçu leur charge, qu'ils portent très bien car ils sont extrêmement robustes. Il y a aussi des moutons qui sont aussi grands que des ânes ; ils ont une queue très grosse et large qui pèse bien trente livres ; ils sont très beaux, gras et bons à manger.

Dans cette plaine, il y a plusieurs châteaux et villes, qui ont des murs de terre hauts et larges afin de les défendre contre les Caraunas : ce sont des brigands qui livrent tout le pays à leurs raids. Pourquoi s'appellent-ils Caraunas ? Parce qu'ils sont de mère indienne et de père tartare. Quand ils veulent faire un raid et piller, ils réus-

---

1. Pommes de paradis : variété de pommes.
2. Francolin : oiseau voisin de la perdrix.
3. Bœufs : il s'agit des yaks.

sissent par des tours de magie, qui sont œuvres du diable, à transformer le jour en nuit, de sorte que l'on n'y voit qu'à très faible distance ; et ils font durer cette obscurité pendant sept jours. Ils connaissent très bien le pays, et une fois qu'ils ont fait régner l'obscurité, ils chevauchent très près les uns des autres ; parfois, ils sont bien dix mille, quelquefois plus, quelquefois moins, de sorte qu'ils occupent toute la plaine qu'ils veulent piller et que tout ce qui s'y trouve ne peut leur échapper, aussi bien les hommes que les animaux et les biens. Quand ils se sont emparés des hommes, ils tuent tous les vieux et emmènent les jeunes pour les vendre comme esclaves ou serviteurs. Leur roi est appelé Nogodar […].

Ainsi je vous ai parlé de cette plaine et des gens qui font l'obscurité pour piller ; et je vous dis que messire Marco fut lui-même fait prisonnier par ces gens dans cette obscurité, il parvint à s'enfuir dans un château qui est appelé Canosalmi mais beaucoup de ses compagnons furent pris et vendus et certains furent tués […].

CHAPITRE XXXVII

La grande descente

C'est la vérité que cette plaine dure cinq journées vers le sud, et au bout de cinq journées, on trouve une autre descente qu'il faut suivre sur vingt milles : le chemin est très mauvais et fréquenté par des voleurs, ce qui fait qu'il est très dangereux.

Quand l'on a parcouru cette descente, on découvre une autre plaine très belle, appelée la plaine d'Ormuz, qui dans sa longueur dure deux journées. Il y a de belles rivières et beaucoup de palmiers dattiers. Comme oiseaux, on trouve des francolins et des perroquets, ainsi que d'autres oiseaux différents des nôtres.

Quand on a chevauché deux journées, on parvient à l'océan Indien et, sur le rivage, il y a une ville appelée Ormuz, qui a un port. Je peux vous dire que les marchands y viennent de l'Inde en bateau et y apportent toutes sortes d'épices, des pierres précieuses, des perles, des draps de soie et d'or, des dents d'éléphant et beaucoup d'autres marchandises ; et dans cette ville, ils les vendent à d'autres marchands qui ensuite les apportent dans tout l'univers, en les vendant à d'autres gens. C'est une ville où se fait un très grand commerce, elle est la capitale du royaume et d'elle dépendent beaucoup de villes et de châteaux. Le roi s'appelle Roukneddin Ahmed. Il fait une chaleur extrême, car le soleil y est très chaud, et c'est une terre malsaine. Si un marchand d'un autre pays vient à y mourir, le roi lui prend tout son bien.

Dans cette région, on fait le vin de dattes, en ajoutant beaucoup d'épices, et il est très bon : quand on le boit sans y être accoutumé, il donne la colique et c'est une bonne purge ; mais ensuite, il a de bons effets et fait grossir. Les gens ne consomment pas notre nourriture parce que, s'ils mangeaient du pain de froment et de la viande, ils tomberaient malades ; pour être en bonne santé, ils mangent des dattes et du poisson salé – c'est du thon – et aussi des oignons [...].

Leurs bateaux sont très mauvais et beaucoup font naufrage. Ils ne sont pas cloués avec des pointes de fer mais sont cousus d'un fil que l'on fait avec l'écorce des noix de coco : ils la font macérer et elle devient semblable à des soies ou à du crin de cheval ; puis ils en font du fil dont ils cousent les bateaux ; il est très résistant et ne s'abîme pas au contact de l'eau salée. Les bateaux ont un mât, une voile et un gouvernail et ne sont pas pontés : c'est pourquoi, quand ils les ont chargés, ils couvrent les marchandises avec des peaux et, par-dessus, ils installent les chevaux qu'ils portent à vendre en Inde. Comme ils n'ont pas de fer pour fabriquer des clous, ils fabriquent des chevilles de bois et les fixent avec le fil. C'est la raison pour laquelle il est très dangereux de naviguer sur ces bateaux, et je peux vous dire que beaucoup font naufrage car l'océan Indien a souvent de grosses tempêtes.

Les habitants sont noirs et adorent Mahomet. L'été, ils ne restent pas dans les villes car la chaleur est si grande que tous mourraient ; c'est pourquoi ils sortent des villes et vont dans leurs jardins où il y a de l'eau et des rivières en grande quantité ; mais malgré ces précautions, ils ne survivraient pas, sinon par le moyen que je vais vous dire. C'est un fait que, souvent, l'été, souffle un vent provenant des étendues de sable qui sont dans la plaine alentour, qui est si brûlant qu'il serait mortel aux hommes s'ils n'avaient recours au moyen suivant : dès qu'ils voient arriver ce vent chaud, ils entrent dans l'eau et, de cette manière, ils peuvent lui résister.

Je peux vous dire aussi qu'ils sèment le blé, l'orge et les autres céréales dès le mois de novembre et les récoltent en mars, et il en va de même pour tous les autres produits de la terre car ils sont mûrs au mois de mars ; il n'y a plus alors rien de vert sur la terre, à l'exception des dattes qui durent jusqu'au mois de mai, et la raison en est la grande chaleur qui dessèche tout [...].

CHAPITRE XLI

Le Vieux de la Montagne et ses Assassins

Mulecte[1] est une contrée où le Vieux de la Montagne avait jadis coutume de demeurer ; *Mulecte* veut dire *hérétique selon la loi des Sarrasins*. Je vais maintenant vous conter toute son histoire selon ce que moi, Marco Polo, j'ai entendu conter par plusieurs.

Le Vieux était appelé en leur langue Aladin. Il avait fait faire entre deux montagnes, dans une vallée, le jar-

---

1. Mulecte : comme le précise Marco Polo, signifie «hérétique», mais il en fait un lieu qui se confond avec la forteresse des Assassins, Alamut, située au nord de l'Iran.

din le plus grand et le plus beau que l'on vît jamais : les meilleurs fruits du monde y poussaient. Là, il avait fait bâtir les plus belles maisons et les plus beaux palais que jamais l'on vît : ils étaient en effet recouverts d'or et décorés de ce qu'il y a de plus beau au monde. Il avait aussi fait faire des canaux où coulaient, dans l'un du vin, dans un autre du lait, dans un autre du miel, dans un autre encore de l'eau. Il y avait des dames et des demoiselles, les plus belles du monde, qui savaient jouer de tous les instruments, chantaient et dansaient mieux que toutes les autres femmes. Le Vieux faisait entendre à ses hommes que ce jardin était le Paradis et il l'avait construit de cette manière parce que Mahomet avait enseigné aux Sarrasins que ceux qui vont au Paradis y trouveront de belles femmes, autant qu'ils en voudront, ainsi que des fleuves de vin, de lait, de miel et d'eau. C'est pourquoi il avait donné à ce jardin un aspect identique à celui du Paradis dont parle Mahomet et les Sarrasins de cette contrée croyaient vraiment que ce jardin était le Paradis.

Dans ce jardin, nul homme n'entrait à l'exception de ceux dont il voulait faire des Assassins[1]. À l'entrée, il y

---

1. Assassins : désignent à l'origine ceux qui, sous l'effet de la drogue (*hachich* en arabe veut dire «herbe sèche»), sont poussés à accomplir des crimes, en particulier de caractère politique. Le premier chef des Assassins, qui appartenait à une fraction dissidente de la secte mahométane des Ismaéliens, se réfugia en 1091 au château d'Alamut, au sud de la mer Caspienne. Ce n'est qu'en 1257 qu'ils furent écrasés par le Mongol Hulegu. Entre-temps, ils commirent de nombreux assassinats politiques. On sait que le roi de France Louis IX fut lui-même menacé d'être tué par eux lorsqu'il se trouvait au Moyen-Orient pour la septième croisade (1254).

avait un château si puissant qu'il ne craignait personne ; or, c'était la seule entrée. Le Vieux avait auprès de
lui, à sa cour, tous les jeunes du pays qui avaient entre
douze et vingt ans, dont l'aspect promettait qu'ils
seraient de vaillants guerriers [...]. Le Vieux faisait
installer ensemble dans ce Paradis quatre, dix ou vingt
de ces jeunes, comme il le désirait, de la façon suivante : il leur faisait donner une potion grâce à laquelle ils
s'endormaient tout aussitôt, puis il les faisait transporter dans ce jardin et là, il les faisait réveiller.

CHAPITRE XLII

Comment le Vieux de la Montagne
rend ses Assassins parfaitement dociles

Quand les jeunes se réveillaient et découvraient cet
endroit où ils voyaient tout ce que je vous ai décrit, ils
croyaient vraiment être au Paradis. Les dames et les
demoiselles demeuraient sans cesse auprès d'eux à
jouer, à chanter et à leur donner du plaisir, et ils faisaient
d'elles ce qu'ils voulaient. Ces jeunes avaient donc tout
ce qu'ils désiraient et auraient souhaité ne jamais sortir
de là. Quant au Vieux, il demeurait très noblement au
sein de sa cour belle et grande et faisait croire à ces gens
simples des montagnes qui vivaient alentour que c'était
un prophète ; et ils le croyaient vraiment [...].

CHAPITRE XLIII

Comment les Assassins
sont éduqués à mal agir

[…] Quand le Vieux voulait faire tuer un seigneur ou quelque autre homme, il prenait certains de ses Assassins et les envoyait là où il voulait, leur disant qu'il désirait les envoyer au Paradis : il leur commandait de tuer tel ou tel homme, leur promettant que, s'ils mouraient, ils iraient aussitôt au Paradis. Ceux-là exécutaient très volontiers l'ordre du Vieux : ils partaient et faisaient tout ce qu'il leur avait commandé ; et ainsi personne ne pouvait échapper à la mort quand le Vieux de la Montagne l'avait décidé. Et je vous assure que plusieurs rois et plusieurs barons lui payaient tribut et étaient en bons termes avec lui tant ils craignaient qu'il ne les fît tuer.

Je vous ai conté l'histoire du Vieux de la Montagne et de ses Assassins ; je vais vous dire maintenant comment il fut tué et par qui […]. C'est la vérité que, aux alentours de 1262[1], Hulegu, seigneur des Tartares du Levant, ayant appris toutes les actions criminelles que le Vieux commettait, décida de le faire mettre à mort. Il choisit donc quelques-uns de ses barons et les

1. Aux alentours de 1262 : l'événement eut lieu en réalité en 1257.

envoya à ce château avec une nombreuse armée. Ils assiégèrent le château pendant trois ans au moins sans pouvoir le prendre ; et ils ne l'auraient jamais pris s'il était resté à manger aux assiégés ; mais au bout de trois ans, ils n'avaient plus de nourriture. Ainsi fut pris et tué le Vieux, qui s'appelait Aladin, avec tous ses hommes. Depuis, il n'y eut plus ni Vieux ni Assasins, avec lui prirent fin sa seigneurie et les maux dont les Vieux de la Montagne s'étaient jadis rendus responsables.

CHAPITRE XLVII

Le grand pays de Badakhshan

Le Badakhshan est un pays où les gens adorent Mahomet et ont une langue qui leur est propre. C'est un grand royaume où l'on devient roi de père en fils ; les rois appartiennent tous au même lignage qui descend du roi Alexandre[1] et de la fille de Darius, le grand roi de Perse. Tous ces rois s'appellent encore *Zoulcarnaï* qui, dans leur langue sarrasine, équivaut au français *Alexandre*, tant est grand leur amour du grand Alexandre.

---

1. Alexandre le Grand (356-323 av. J.-C.) : roi de Macédoine, il battit d'abord les Perses avec à leur tête Darius, puis s'enfonça en Asie où il se tailla un vaste empire jusqu'au nord de l'Inde.

Dans ce pays poussent[1] les pierres précieuses que l'on appelle rubis balais[2], qui sont très belles et de grande valeur ; elles poussent dans la roche des montagnes. Je peux vous dire qu'ils font de grandes cavernes dans la montagne en creusant très profondément comme font ceux qui creusent les veines d'argent ; et c'est dans une seule montagne qui s'appelle Shikinan. Vous devez aussi savoir que le roi les fait creuser pour lui seulement ; nul autre homme ne pourrait y aller pour extraire des rubis balais sans être aussitôt mis à mort. Et je peux vous dire que celui qui en ferait sortir du royaume y risquerait sa tête et sa fortune, car le roi les envoie lui-même par ses hommes aux autres rois, à des princes ou à de grands seigneurs : tantôt comme tribut, tantôt par amitié, ou bien encore il les fait vendre contre de l'or ou de l'argent.

Le roi agit ainsi pour que ses rubis balais soient chers et de grande valeur, car s'il donnait à d'autres la possibilité d'en extraire et d'en apporter par le monde, il y en aurait tant qu'ils perdraient de leur prix et de leur valeur ; c'est pourquoi le roi a fixé une peine si forte que personne n'en extrait sans son autorisation. Sachez aussi que, dans cette même contrée, on trouve

---

1. Poussent : au Moyen Âge, on croyait que les pierres précieuses poussaient dans la roche, un peu à la manière des plantes.
2. Rubis balais : rubis de couleur rouge violacé ou rose. «Balais» vient de l'arabe *balakhtch*, du nom de la région dont parle Marco Polo et où on les trouve en abondance.

des lapis-lazuli[1] qui sont les plus purs et les meilleurs qui soient au monde ; ces pierres dont on fait l'azur sont des veines qui naissent dans les montagnes comme les autres veines. Il y a aussi des montagnes où l'on trouve des veines dont on tire l'argent en grande quantité.

C'est une contrée très froide. Sachez qu'il y naît de très bons chevaux, excellents coureurs ; ils ne sont pas ferrés et vont toujours ainsi par les montagnes. Il naît aussi dans ces montagnes des faucons sacres, très bons et qui volent bien, ainsi que des faucons laniers. C'est un endroit riche en venaison et en gibier, qu'il s'agisse de bêtes ou d'oiseaux. Ils ont du bon froment, de l'orge sans balle[2] ; ils n'ont pas d'huile d'olive mais font leur huile avec le sésame[3] et les noix.

Dans ce royaume, nombreux sont les passages étroits et les lieux d'accès difficile, si bien qu'ils ne craignent pas d'être envahis : leurs villes comme leurs châteaux sont dans de hautes montagnes et dans des lieux peu accessibles. Ce sont de bons archers et de bons chasseurs et la majeure partie se vêtent du cuir des bêtes parce qu'ils manquent beaucoup d'étoffes. Les grandes dames et les nobles portent des braies[4] de

---

1. Lapis-lazuli (du latin *lapis* «pierre» et du persan *lazawar* «azur») : pierre fine d'un bleu d'azur.
2. Balle : enveloppe du grain des céréales.
3. Sésame : plante très anciennement cultivée en Asie tropicale pour ses graines dont on extrait l'huile.
4. Braies : sorte de pantalons en usage chez les Gaulois et chez certains peuples. Notre mot *braguette* en est dérivé.

la manière suivante : il y a certaines dames qui, dans une braie – c'est une culotte qui couvre les jambes –, vont jusqu'à mettre cent brasses de toile de coton, d'autres en mettent quatre-vingts, d'autres soixante ; ainsi font-elles pour montrer qu'elles ont de grosses fesses car leurs maris trouvent plus de plaisir aux grosses femmes […].

CHAPITRE LII

La grande ville de Samarcande

Samarcande est une ville très importante et de grand renom ; ses habitants sont chrétiens ou sarrasins et ils ont pour seigneur le neveu du Grand Khan, mais ce dernier n'est pas son ami : plus d'une fois, il s'est querellé avec lui. La ville est vers le nord-ouest, et je vais vous raconter une chose extraordinaire qui s'y est passée.

C'est la vérité qu'il n'y a guère si longtemps, Djagh

ataï, le frère du Grand Khan, se convertit au christianisme ; c'était le seigneur de cette contrée et de beaucoup d'autres. Quand les chrétiens de Samarcande virent que leur seigneur était chrétien, ils en eurent une grande joie et firent donc bâtir dans cette ville une grande église en l'honneur de saint Jean-Baptiste : et ainsi fut-elle appelée. Ils prirent une très belle pierre qui appartenait aux Sarrasins et l'utilisèrent comme base d'une colonne qui se trouvait au milieu de l'église et soutenait le toit.

Or il arriva que Djaghataï mourut. Quand les Sarrasins l'apprirent, comme ils avaient été très en colère, et continuaient de l'être, au sujet de la pierre qui se trouvait dans l'église des chrétiens, ils décidèrent de prendre cette pierre par la force, ce qui leur était bien facile car ils étaient dix fois plus nombreux que les chrétiens. Quelques-uns parmi les meilleurs Sarrasins allèrent donc à l'église de saint Jean-Baptiste et dirent aux chrétiens qui s'y trouvaient qu'ils voulaient cette pierre qui leur avait appartenu. Les chrétiens dirent qu'ils étaient prêts à donner tout ce qu'ils voudraient pour garder la pierre parce que, si on la retirait, l'église subirait un grand dommage. Les Sarrasins répondirent qu'ils ne voulaient ni or ni trésor mais seulement leur pierre. Que pourrais-je en dire ? La seigneurie appartenait au neveu du Grand Khan. Les chrétiens reçurent l'ordre de rendre cette pierre aux Sarrasins dans un délai de deux jours.

Quand les chrétiens l'apprirent, ils furent très en colère et ne surent quoi faire. Or il se produisit un grand miracle, comme je vais vous le dire : sachez que, quand arriva le matin du jour où la pierre devait être rendue, la colonne qui reposait sur elle, par la volonté de Notre-Seigneur Jésus-Christ, se détacha et s'éleva d'au moins trois paumes : elle se soutenait toute seule exactement comme si la pierre avait été dessous. Depuis ce jour, cette colonne est toujours demeurée ainsi et c'est ainsi qu'elle est encore aujourd'hui. Ce fait fut considéré, et est toujours considéré, comme un des grands miracles qui se produisirent dans le monde [...].

CHAPITRE LVII

La ville de Lop

Lop est une grande ville qui est à l'extrémité d'un grand désert, appelé le désert de Gobi ; elle est située est, nord-est. Cette ville est au Grand Khan ; ses habitants adorent Mahomet. Et je peux vous dire que ceux qui veulent passer le désert se reposent dans cette ville pendant une semaine afin de se rafraîchir ainsi que leurs bêtes. Au bout d'une semaine, ils prennent de la nourriture pour un mois, pour eux et leurs bêtes. Ils quittent alors la ville et entrent dans le désert.

Je peux vous dire qu'il est si vaste qu'il faudrait, dit-on, un an pour arriver au bout. Là où il est le moins large, on met un mois à le traverser en ne ménageant pas sa peine. Il est constitué de montagnes, de sable et de vallées, et on n'y trouve rien à manger. Mais je peux vous dire que, quand on a chevauché un jour et une nuit, on trouve de l'eau potable ; certes, il n'y en a pas pour une très grande quantité de gens, mais pour cinquante ou cent hommes avec leurs bêtes. Et sur toute la traversée, il vous faut aller toujours une journée et une nuit avant que vous trouviez de l'eau; et je peux vous dire que, en trois ou quatre endroits, on trouve de l'eau amère et saumâtre, mais toutes les autres sont bonnes, ce qui fait environ vingt-huit points d'eau. Il n'y a ni oiseaux ni bêtes parce qu'ils n'y trouvent pas de quoi se nourrir; mais je peux vous dire qu'on y trouve une chose très extraordinaire que je vais vous conter.

C'est la vérité que, lorsqu'on chevauche de nuit dans ce désert et qu'il arrive que quelqu'un reste en arrière ou s'éloigne de ses compagnons pour dormir ou pour une autre raison, s'il veut ensuite les rejoindre, il entend parler des esprits de telle manière qu'il lui semble que ce sont ses compagnons, car ils l'appellent quelquefois par son nom. Et ils le font souvent s'égarer, de sorte qu'il ne retrouve plus son chemin. Nombreux sont déjà ceux qui se sont perdus et sont morts de cette manière. Et je peux vous dire aussi que, même le jour, on peut entendre ces voix d'esprits, et souvent il vous semble entendre jouer beaucoup d'instruments, particulièrement des tambours.

Ainsi traverse-t-on ce désert avec toutes les difficultés que je vous ai contées. Désormais nous laisserons ce désert dont nous avons dit tout ce qui pouvait en être dit et nous vous parlerons des pays que l'on trouve quand on en sort.

CHAPITRE LVIII

Le pays de Tangout

Quand on a chevauché pendant trente journées dans le désert dont je vous ai parlé, on trouve une ville appelée Dunhuang, qui est au Grand Khan. Le pays s'appelle Tangout. Les habitants sont tous idolâtres, à l'exception de quelques chrétiens nestoriens et aussi de Sarrasins. Les idolâtres ont une langue qui leur est propre. La ville est située nord-est, est. Ce ne sont pas des gens qui vivent du commerce mais ils tirent leurs bénéfices des céréales qu'ils récoltent. Ils ont de nombreuses abbayes et de nombreuses églises, remplies d'idoles de diverses sortes, auxquelles ils font de riches offrandes et témoignent un grand respect. Sachez que tous ceux qui ont des enfants élèvent un mouton pour honorer les idoles, et à la fin de l'année ou bien lors de la fête de l'idole, ceux qui ont élevé un mouton le conduisent avec leurs enfants devant l'idole à laquelle eux et leurs enfants font force révérences. Après quoi, ils font cuire le mouton tout entier puis l'apportent devant l'idole en lui témoignant leur respect ; ils le laissent là le temps de dire leur office et leur prière afin que l'idole protège leurs enfants et ils disent que l'idole mange la substance de la viande. Ensuite, ils prennent cette viande qui est restée devant l'idole, l'apportent chez eux ou en tout autre lieu et, après avoir fait venir leurs parents, ils la mangent avec des démonstrations de respect et de fête. Après avoir mangé la viande, ils rassemblent les os qu'ils mettent à l'abri dans un coffre avec beaucoup de précautions.

Sachez que tous les idolâtres du monde, lorsque l'un des leurs meurt, font brûler son corps. Et quand le mort est porté de sa maison jusqu'à l'endroit où il doit être brûlé, sur le chemin, en certains lieux, ses parents ont édifié au milieu de la route une maison de bois couverte de tissus de soie et d'or. Quand le mort est amené devant cette maison si bien décorée, ils s'arrêtent et les gens jettent devant le mort du vin et de la nourriture en grande quantité. Ils font ainsi parce qu'ils disent que c'est avec autant d'honneurs qu'il sera reçu dans l'autre monde. Et quand il arrive au lieu où on doit le brûler, ses parents font découper dans des feuilles de papier des images représentant des hommes, des chevaux, des chameaux et des monnaies aussi grandes que des besants[1], puis ils font brûler tout cela avec le corps : et ils disent que, dans l'autre monde, le mort aura autant d'esclaves, de bêtes et de moutons qu'ils ont fait brûler d'images de papier. Je peux vous dire aussi que lorsqu'on conduit le corps à brûler, ils font retentir devant lui tous les instruments du pays.

Je dois vous dire encore autre chose : à la mort d'un

---

1. Besant : monnaie d'or qui fut d'abord en usage à Byzance.

des leurs, les idolâtres font venir leur astrologue et lui indiquent le thème astral du mort, c'est-à-dire quand il est né, quel mois, quel jour, quelle heure. Quand il en a pris connaissance, l'astrologue fait ses prédictions à l'aide de sa science diabolique et indique le jour où le mort doit être brûlé. Et je peux vous assurer qu'on doit attendre, pour certains, une semaine, pour d'autres, un mois, pour d'autres encore, six mois, avant de les brûler. Il faut alors que les parents du mort le gardent chez eux aussi longtemps que je vous ai dit [...].

CHAPITRE LXII

La ville de Ganzhou

Ganzhou est une ville très importante et de grand renom et elle est la capitale de tout le pays de Tangout. Ses habitants sont en majorité idolâtres mais certains adorent Mahomet et il y a aussi des chrétiens qui ont dans cette ville trois églises grandes et belles. Les idolâtres ont beaucoup d'églises et de monastères propres à leurs rites. Ils ont une énorme quantité d'idoles, et je peux vous dire qu'ils en ont qui mesurent dix pas : quelques-unes sont en bois, d'autres en terre, d'autres en pierre, et elles sont toute recouvertes d'or et très bien ouvragées. Ces grandes idoles sont couchées et beaucoup de petites idoles sont autour d'elles, comme si elles se prosternaient devant elles et leur témoignaient leur respect. Comme je ne vous ai pas conté tout ce qui concerne les idolâtres, je vais le faire ici.

Sachez que ceux qui, parmi les idolâtres, sont leurs religieux vivent plus honnêtement que les autres et se gardent du péché de luxure, même s'ils ne le considèrent pas comme un grand péché [...]. Je peux vous dire qu'ils ont un calendrier comme nous mais qui est fait d'après les lunaisons. Il y a certaines lunaisons où tous les idolâtres du monde s'interdisent de tuer des bêtes ou des oiseaux pendant cinq jours : ils ne mangent aucune viande qui aurait été tuée pendant cette période et, pendant ces cinq jours, ils vivent plus honnêtement que le reste du temps. Les hommes prennent jusqu'à trente épouses, quelquefois plus, quelquefois moins, selon leur richesse et le nombre de femmes qu'ils peuvent entretenir. Les maris donnent à leurs épouses, pour leur douaire, du bétail, des esclaves et de l'argent, selon leurs possibilités ; mais sachez que la première épouse obtient la meilleure part. Je peux vous dire aussi que, s'ils voient qu'une de leurs femmes n'est pas bonne ou qu'elle ne leur plaît pas, ils peuvent la chasser et faire comme bon leur semble [...].

Nous n'en disons pas plus et vous conterons des autres pays vers le nord. Je peux vous dire que messire Nicolo, messire Maffeo et messire Marco restèrent un an dans cette ville pour leurs affaires mais il n'est pas utile d'en dire davantage [...].

Arrêt
sur
lecture 2

Le Devisement du monde :
tout un programme !

Un titre énigmatique ?

Le titre donné par Marco Polo à son livre peut à première vue nous paraître énigmatique : la langue a évolué et le substantif *devisement* a disparu du français moderne ; il faut donc recourir à l'étymologie pour y voir plus clair !

Flash étymologique

Deviser (à rapprocher de notre verbe *diviser*) signifie d'abord *partager, attribuer*, d'où *mettre en ordre, exposer*, puis *raconter, discourir*. En français moderne, *deviser* signifie converser, bavarder.

Mots de la même famille : un *devis*, une *devise*. Cherchez le sens de ces mots dans un dictionnaire et voyez comment ils se rattachent au sens ancien du verbe (en vous aidant au besoin d'un dictionnaire étymologique).

Deviser le monde, c'est donc le décrire en énumérant ses diverses parties, ses *divisions*, c'est-à-dire les pays ou les régions. Le découpage par chapitres répondra donc *grosso modo* à un découpage de nature géographique : le livre décrit successivement les pays, s'attardant parfois sur des régions ou des villes. Comme nous l'a dit le prologue, Marco Polo peut se vanter d'avoir parcouru une bonne partie du monde connu à l'époque, qui ne comprenait alors que trois continents : Europe, Asie et Afrique. Pour l'Amérique et l'Australie, il faudra encore attendre que la navigation se développe et que les bateaux se perfectionnent. L'Afrique est encore très mal connue, nous verrons que Marco Polo en parle un peu dans la dernière partie, mais seulement à partir d'informations que d'autres lui ont rapportées, donc par ouï-dire.

L'itinéraire : quel chemin a suivi Marco Polo ?

Un voyageur anonyme – C'est essentiellement l'Asie que Marco Polo nous fait découvrir. Toutefois, ici encore, il n'est pas allé partout et souvent il nous parle de villes ou de régions dont on n'est pas sûr qu'il les ait visitées. Le prologue nous présentait bien les voyages qu'avait effectivement accomplis la famille Polo, mais il n'entrait guère dans le détail. Ici, le fil conducteur que l'on repère, en particulier dans les formules de transition utilisées entre deux chapitres, a recours à un voyageur anonyme désigné par le pronom indéfini ON.

Ainsi, au début du chap. XXXVI : « Lorsque l'on a parcouru pendant deux journées la longue descente [de la montagne], on découvre une très vaste plaine… » Ou à la fin du chap. LVII : « Ainsi traverse-t-on ce désert avec toutes les difficultés que je vous ai contées. »

Cette formule offre certains avantages :

– elle permet de faire une description du monde qui ne se limite pas aux endroits effectivement visités, ce qui correspond tout à fait au projet encyclopédique de Marco Polo affiché dans le premier chapitre ; il désire en effet apporter le plus grand stock possible d'informations nouvelles à ses contemporains ;

– la formule est commode car le lecteur peut aisément se projeter dans ce voyageur anonyme, s'identifiant à lui et du même coup prenant d'autant plus d'intérêt au livre. D'ailleurs, certains renseignements vont même jusqu'à faire ressembler le livre à un guide de voyage. Ainsi, pour la traversée du redoutable désert de Gobi, le narrateur fournit une série de conseils concernant les provisions nécessaires, les points d'eau, etc., bien utiles à celui qui va s'aventurer dans ces étendues désertiques (chap. LVII) ;

– enfin, on pourrait aller jusqu'à soupçonner notre Vénitien de tirer parti de l'ambiguïté de cette formule qui, en mettant sur le même plan tous les lieux, qu'il les ait visités ou non, contribue à gonfler la liste de ses voyages afin d'asseoir plus solidement sa renommée de plus grand voyageur du monde.

La recherche des preuves et des indices – Il est souvent difficile de dire par où est passé notre voyageur, mais le texte ne manque pas de fournir certains indices et même quelques preuves, à condition d'exercer notre perspicacité. Mettons-nous donc sur la piste !

Quelques preuves

D'abord, il arrive à Marco Polo d'invoquer explicitement son témoignage et d'intervenir personnellement dans la narration, le plus souvent afin de garantir telle ou telle information qui pourrait étonner son lecteur. Par exemple, l'histoire des trois Mages nous est ainsi présentée :

> Messire Marco chercha à obtenir des informations sur ces trois Mages auprès de plusieurs habitants de cette ville, mais il n'y eut personne qui pût lui en donner… Voici cependant ce qu'il apprit ensuite à leur sujet.

On peut donc déduire de ce témoignage que Marco a effectivement visité la ville de Saveh. À votre tour, cherchez dans cette partie les lieux qu'il évoque en mentionnant sa présence.

Des indices

Lorsque la description des lieux fournit des détails précis concernant la vie quotidienne ou nous renseigne sur des difficultés particulières rencontrées par le voyageur, on peut penser qu'il s'agit d'informations de première main. Par exemple, ce qui nous est dit sur le vin de dattes consommé dans la région d'Ormuz (chap. XXXVII) semblerait indiquer que Marco Polo a subi les effets plutôt désagréables de cette boisson, qui constitue, dit-il, une bonne purge pour ceux qui ne sont pas habitués à la boire !

De même, lorsqu'il nous parle des voix et bruits étranges que croit entendre celui qui traverse le désert de Gobi et qui ont amené plus d'un voyageur à s'égarer, les précisions qu'il apporte semblent tirées de son expérience. En tout cas, les esprits qui sont ici invoqués pour expliquer leur origine ne pouvaient qu'accroître la frayeur des voyageurs ; en fait, il pourrait bien s'agir des effets du vent sur le sable et les pierres de ces étendues sinistres, qui créent en quelque sorte des mirages auditifs, de même que la réverbération due à la chaleur crée des mirages visuels dans les déserts chauds comme le Sahara.

Partez à votre tour à la recherche d'indices : quels détails vous paraissent relever d'une expérience vécue par Marco Polo lui-même ?

Des questions non résolues – Notre recherche ne parviendra pas à dissiper toutes les incertitudes. Toutefois, de même qu'on peut déduire le passage du voyageur de la présence de détails précis dans la description, leur absence peut être aussi significative.

Ainsi, la grande ville de Bagdad est surtout évoquée pour nous raconter l'anecdote de sa prise par les Mongols. Cette capitale de l'Islam, qui devait compter environ huit cent mille habitants au XIIIe siècle, réputée pour ses palais et sa richesse, est désignée par Marco Polo comme « la plus grande et la plus magnifique de toutes ces contrées », mais il ne la montre guère, preuve qu'il ne l'a sans doute pas vue. On peut faire la même observation pour Samarcande, dont il ne parle que pour raconter le miracle advenu en faveur des chrétiens de la ville.

Un point demeure énigmatique. Pourquoi l'itinéraire fait-il un long crochet vers le sud, jusqu'au port d'Ormuz, avant de remonter vers le nord ? Diverses explications ont pu être proposées : peut-être les Polo ont-ils été contraints à ce détour par des guerres qui les empêchaient de prendre la voie la plus directe. Ils auraient alors songé à rejoindre le pays du Grand Khan par voie maritime. Pourtant, ils y auraient renoncé en voyant les bateaux indiens. Il est vrai que la description que nous en donne Marco suffirait à décourager le voyageur le plus intrépide ! Relevez les divers détails contenus dans le chap. XXXVII qui pourraient expliquer que nos trois Vénitiens ont jugé plus prudent de rejoindre la terre du Grand Khan par voie terrestre…

On peut aussi penser que l'auteur a désiré opérer ce crochet dans son itinéraire afin de donner plus de cohérence à son texte. En effet, nous verrons que l'itinéraire se termine dans la cinquième partie par l'évocation d'Ormuz (chap. CXCVIII) : cette présentation circulaire permet d'accomplir un grand tour. Certes ce n'est pas encore un tour du monde, mais c'est bien le tour de l'Asie, le continent réputé pour ses innombrables merveilles.

Le récit du voyage : quelles aventures a rencontrées Marco Polo ?

Le livre ne nous fournit à ce sujet que très peu d'indications. Pourquoi ? Tout simplement parce que ce n'est pas son but et que, à cette époque, le genre du récit de voyage n'était pas encore développé. De nos jours, le public en est friand et quiconque a fait un beau voyage sait qu'il trouvera des lecteurs s'il raconte par le menu tout ce qui a pu lui arriver d'étrange ou d'insolite sur le chemin qu'il a parcouru. En revanche, au XIIIe siècle, le voyageur jugeait plus important de raconter ce qu'il avait **vu** plutôt que ce qu'il avait **fait**. Il arrive pourtant à Marco Polo de mentionner très brièvement des aventures où il a risqué sa vie. C'est le cas lorsqu'il rencontre les Caraunas, bandits de grand chemin qui sont aussi des magiciens. Mais son très court récit nous laisse un peu sur notre faim.

La diversité infinie du monde

Une grande diversité de coutumes

La curiosité de Marco Polo est à large spectre et on peut dire que dans l'ensemble, il fait preuve d'une assez grande tolérance par rapport à la diversité de ce qu'il voit, en particulier en ce qui concerne les coutumes.

Ainsi, on devine son regard amusé devant les curieuses tenues vestimentaires arborées par les femmes du royaume de Badakhshan (fin du chap. XLVII). Alors que les habitants « manquent beaucoup d'étoffes », les grandes dames se distinguent par leurs pantalons bouffants et c'est à celle qui y mettra le plus de tissu possible afin de donner encore plus de prestige à son allure et d'exhiber sa richesse ! Mais là n'est pas la seule raison de ce bizarre comportement vestimentaire ; Marco Polo en ajoute une plus coquine : le goût marqué des hommes pour les femmes aux grosses fesses !

Tout au long du livre, nous relèverons cette même attention et cette même tolérance du voyageur pour des coutumes « exotiques » – ce qui l'amène à montrer la relativité des jugements. Comme le dira trois siècles plus tard Montaigne, lui aussi fervent adepte du voyage : « Quelle vérité que ces montagnes bornent, qui est mensonge au monde qui se tient au-delà ? » Pourtant, il est un domaine où la différence est jugée beaucoup plus sévèrement : c'est celui des croyances religieuses.

Les croyances religieuses
Les musulmans – Les relations conflictuelles entre chrétiens et musulmans ne datent pas d'aujourd'hui ! Mais la tension s'était fortement accrue au Moyen Âge avec les croisades : elles commencent à la fin du XIe siècle et avaient été lancées par la papauté en vue de reprendre Jérusalem et la Terre sainte aux « infidèles » (le nom que donnent les chrétiens aux musulmans). On voulait ainsi faciliter les pèlerinages sur les lieux où avait vécu le Christ, mais c'était aussi un

moyen pour canaliser la violence de la chevalerie, toujours avide de combattre, en la dirigeant contre les ennemis de la foi chrétienne.

Cet esprit de croisade est tout à fait sensible dans *Le Devisement du monde*, d'autant qu'à l'époque où Marco Polo se rend en Chine, l'Europe chrétienne nourrissait l'espoir de faire alliance avec les puissants Mongols pour vaincre les « Sarrasins ». Le mot désigna d'abord un peuple de l'Arabie, puis il s'appliqua à tous les peuples soumis au calife. Le calife est le souverain des musulmans, successeur de Mahomet (comme le dit Marco Polo, c'est donc l'équivalent du pape pour les chrétiens). À l'époque de Marco Polo, le calife siégeait à Bagdad, aujourd'hui capitale de l'Iraq, qui était alors une ville très peuplée, riche, et centre d'une civilisation et d'une culture très développées, sur le plan des arts et des sciences.

Les trois anecdotes contées par Marco Polo, la prise de Bagdad, le Vieux de la Montagne et le miracle de Samarcande, s'inspirent en partie d'événements historiques, mais l'auteur les transforme afin, d'une part, de distraire son public par des anecdotes plaisantes, et, d'autre part, d'illustrer l'esprit de croisade que nous venons d'évoquer. Ainsi, des événements pourtant très récents acquièrent ici une allure légendaire, mais cette légende n'en laisse pas moins percevoir clairement les représentations et les enjeux réels.

La prise de Bagdad

La grande richesse de la ville est symbolisée par cette fabuleuse tour remplie de trésors, qui peut faire penser à la tour de Babel dont parle la Bible et dont on situait les vestiges tout près de Bagdad. Quant à la mort infligée par le chef mongol au calife, elle se veut en même temps punition exemplaire : le calife n'a pas seulement fait preuve d'incompétence et de légèreté mais il s'est rendu coupable d'avarice, le plus grave défaut d'un seigneur aux yeux de la morale féodale. Il mourra donc par où il a péché.

La secte des Assassins

Si les meurtres commis par ses adeptes furent bien réels et eurent souvent pour victimes des musulmans, la façon dont les futurs Assassins sont embrigadés et fanatisés semble peu conforme à la réalité (voyez la version très différente donnée par Amin Maalouf dans Textes à l'appui). Mais c'était un moyen pour présenter, en la déformant, la conception du paradis pour l'islam (voyez Textes à l'appui) et de dénoncer cette croyance en un paradis purement artificiel. Vous relèverez les détails qui suggèrent clairement qu'il s'agit d'un faux paradis.

Le miracle de Samarcande

Ici, c'est Dieu lui-même qui intervient pour « soutenir » – au sens propre et au sens figuré – les chrétiens en conflit avec les musulmans. Dans cette anecdote ainsi que dans les précédentes, les Mongols sont représentés comme de possibles auxiliaires des chrétiens : précisez en effet le rôle qu'ils jouent dans chaque histoire.

Les adorateurs du feu – Marco Polo mêle ici très curieusement une légende biblique, celle des Rois mages venus adorer l'Enfant Jésus, et le zoroastrisme, religion des « adorateurs du feu », fondée en Iran au VIe siècle avant Jésus-Christ par Zarathoustra (ou Zoroastre), dont l'un des rites est en effet la vénération du feu.

Le chiffre trois

Dans le récit tel qu'il est rapporté par Matthieu (voyez Textes à l'appui), les Rois mages apportent aussi trois offrandes, mais leur fonction symbolique n'est pas précisée; en revanche, ici, chacune renvoie à une signification : l'encens (utilisé dans les cérémonies religieuses) symbolise Dieu, l'or (= richesse matérielle) le roi, la myrrhe (plante aux vertus curatives) le médecin. En prenant les trois offrandes, Jésus s'impose comme celui qui réunit les trois fonctions.

La pierre

Pour les chrétiens, la pierre symbolise la fermeté de la foi (souvenez-vous des paroles de Jésus à l'apôtre Pierre : « Tu es Pierre, et sur cette pierre, je construirai mon Église ») mais les Rois mages, ignorant ce sens, lui en découvrent un autre en la jetant dans un puits : une flamme en surgit, qu'ils se mettront à adorer comme incarnation de la puissance divine.

On voit donc comment cette petite histoire joue fortement avec les symboles en même temps qu'elle amène à concevoir le zoroastrisme dans la dépendance du christianisme, alors qu'il s'agit de deux croyances très différentes.

Les bouddhistes – Marco Polo nomme les bouddhistes *idolâtres* en raison des idoles nombreuses, grandes et petites, qu'il a pu observer dans leurs temples (lisez le tableau vivant qu'il en donne dans le chap. LXII). Les informations semblent prouver qu'il a assisté à certains rites, mais l'interprétation qu'il propose de leurs croyances tend souvent à les déformer ou à mal les comprendre. En tout cas, les renseignements donnés dans ces deux chapitres (LVIII et LXII) montrent qu'ici le voyageur franchit une frontière et pénètre dans des régions majoritairement bouddhistes (le bouddhisme, né en Inde, s'était répandu en Chine et dans tout l'Est asiatique); et nous le verrons à plusieurs reprises compléter ses informations sur cette religion tout au long du livre.

Marco Polo manifeste une attitude beaucoup plus nuancée à l'égard du bouddhisme qu'à l'égard de l'islam. On verra que c'est la religion du Grand Khan. Il lui arrive souvent de louer leur ascétisme (voir chap. LXII). Mais, en bon chrétien, il ne pouvait qu'être choqué par leurs coutumes de brûler les morts (si les chrétiens enterrent les morts, c'est en vertu de la croyance en la résurrection des corps au jour du Jugement dernier) et par la croyance aux prédictions astrologiques (« science diabolique » à son avis, seul Dieu connaît l'avenir, l'homme ne peut prétendre à ce savoir).

Pourtant, tout en condamnant leur représentation de l'autre monde, Marco Polo ne cache pas son intérêt et sa curiosité étonnée. Vous-même, ne trouvez-vous pas certains détails pittoresques dans ces rites funéraires bouddhistes, propres à atténuer la dure réalité de la mort ?

La circulation incessante des marchandises

Des marchands très actifs

Si Marco Polo manifeste une curiosité pour tout ce qui est différent, il n'oublie pas ses origines : c'est le commerce qui a fait partir sur les routes son père et son oncle. Ainsi, les voyageurs auxquels son texte se réfère sont le plus souvent les marchands. Par exemple, pour le premier pays décrit par son livre, la Petite Arménie, ce sont plus précisément les marchands de Venise et de Gênes qui sont évoqués (chap. XX) : c'est en effet à Laïas qu'ils débarquaient pour rejoindre les routes de l'Orient. De même, Marco Polo les mentionne allant et venant sur le Tigre, pour se rendre de Bagdad à l'océan Indien. On les retrouve plus loin à Ormuz, qui est dépeinte comme une plaque tournante du commerce international.

Un détail ne manque pas d'ailleurs de laisser transparaître l'inquiétude du voyageur. Il vient de parler de la « chaleur extrême » qui règne dans la région et la rend particulièrement « malsaine » ; il passe ensuite à la coutume locale qui veut que « si un marchand d'un autre pays vient à y mourir, le roi lui prend tout son bien ». L'association des souvenirs ne révèle-t-elle pas ici une crainte bien réelle de la famille Polo : tomber malade dans ce lieu et y mourir sans pouvoir même transmettre leurs biens à leurs héritiers ?

Produits consommés et produits exportés

Les renseignements que nous donne ici Marco Polo sur la circulation des marchands sont bien sûr liés à toutes les riches précisions qui parsèment le texte sur la diversité des ressources. Ainsi, il s'attache d'abord à noter les usages spécifiques de telle ou telle région : à Ormuz, on ne mange pas du pain et de la viande comme chez nous mais des dattes et du poisson salé ! Vous relèverez quelques coutumes de la vie quotidienne qui traduisent le mieux, d'après vous, l'étonnement du voyageur.

L'intérêt du voyageur est encore plus grand pour tout ce qui concerne les produits que l'on peut exporter ou importer ; il enregistre toutes les ressources dont l'Europe ne dispose pas et que les marchands peuvent y apporter ; de même, il note ce qui manque aux pays visités et qu'ils font venir d'ailleurs. On verra que tout au long du livre, l'auteur s'applique à suggérer cette intense circulation des marchandises qui semble particulièrement caractériser cette fin du

XIIIᵉ siècle : son texte fourmille d'indications très précieuses qui nous permettent de dresser la carte des échanges commerciaux dans le monde à cette époque.

à vous...

1 – Enquêter – Recherchez les dates et les noms des principaux voyageurs qui ont découvert les deux continents que les contemporains de Marco Polo ne connaissaient pas encore : l'Amérique et l'Australie.

2 – Rédiger – Que s'est-il passé exactement lorsque Marco Polo a rencontré les Caraunas sur son chemin ? À vous de l'imaginer et de le raconter en nous faisant revivre l'aventure telle que Marco Polo l'a vécue...

3 – Synthèse – L'examen minutieux du texte vous a amené à jouer les détectives afin de distinguer les lieux où le voyageur est passé de ceux dont il parle par ouï-dire. Reportez les résultats de votre enquête sur la carte (p. 14) afin de tracer l'itinéraire probable parcouru par Marco Polo.

4 – Tableau – Dressez un tableau des diverses marchandises mentionnées par Marco Polo dans cette partie, en ménageant deux entrées : la provenance géographique de chaque marchandise, et son type (nourriture, vêtement, produits de luxe...).

Textes à l'appui

L'adoration des mages

Voici le récit biblique tel qu'on le trouve dans les Évangiles :

« Jésus étant né à Bethléem de Judée au temps du roi Hérode, voici que des mages, venus d'Orient, arrivèrent à Jérusalem, disant : «Où est le roi des Juifs nouveau-né ? Car nous avons vu son astre en Orient et nous sommes venus l'adorer.» *(Ayant appris qu'il est né à Bethléem, les mages se mirent en route)* Et voici que l'astre qu'ils avaient vu en Orient marchait devant eux, jusqu'à ce qu'il vînt s'arrêter au-dessus de l'endroit où était le petit enfant. À la vue de l'astre, ils éprouvèrent une grande joie. Entrés dans la maison, ils trouvèrent le petit enfant avec Marie sa mère ; ils tombèrent à genoux et l'adorèrent. Puis, ouvrant leurs trésors, ils lui offrirent de l'or, de l'encens et de la myrrhe. **»**

Évangile selon saint Matthieu, 2 1-12.

Le paradis selon le Coran

Le Coran contient de nombreuses références au Paradis qu'il nomme *Djanna* (Jardin). Ce Jardin est situé au ciel, mais sa grandeur est égale à celle de la terre et du ciel réunis. D'agréables demeures seront à la disposition des Élus, entourés de jardins sublimes parcourus de ruisseaux d'eau vive, de lait, de vin et de miel, et agrémentés de fontaines aromatisées de camphre et de gingembre. Les arbres dispenseront l'ombrage ainsi que des fruits savoureux de toutes sortes, en toute saison et sans épines. La vie paradisiaque offrira un luxe digne des rois avec vêtements précieux, parfums, bracelets. Les repas raffinés seront servis dans des vaisselles de haut prix, où abonderont viandes et fruits au gré des désirs, où des vins parfumés, inépuisables, ne provoqueront pas l'ivresse, ne seront accompagnés ni de bavardages ni de disputes. Les Élus jouiront de la présence de leurs parents, de leurs femmes, de leurs enfants qui furent fidèles. Ils loueront leur Seigneur, se tournant avec affection les uns vers les autres, s'entretenant dans la joie et évoquant leurs souvenirs. Ce sera une vie sans mal, ni fatigue, ni chagrin, ni humiliation, ni peur, où tout désir et tout vœu seront accomplis. (D'après l'*Encyclopédie de l'Islam*, Maisonneuve et Larose, 1960.)

Un autre regard sur les Assassins

Voici la description de la vie dans la forteresse d'Alamout telle que l'imagine le romancier contemporain Amin Maalouf dans son roman *Samarcande* (1990). Sur plusieurs points, ce tableau s'oppose totalement à celui que nous donne Marco Polo !

« Par les meurtres spectaculaires qu'il a ordonnés, par les légendes qui se sont tissées autour de lui, de sa secte et de son château, le Grand Maître des Assassins a durablement terrorisé l'Orient et l'Occident. Dans chaque ville musulmane, de hauts dignitaires sont tombés ; les croisés ont eu à déplorer deux ou trois éminentes victimes. Mais, on l'oublie trop souvent, c'est à Alamout d'abord que la terreur a été souveraine.

Quel règne est pire que celui de la vertu militante ? Le Prédicateur suprême voulut réglementer pour ses adeptes chaque instant de leur vie. Il bannit tous les instruments de musique ; s'il découvrait la plus petite flûte, il la brisait en public, la jetait aux flammes ; le fautif était mis aux fers, abondamment bastonné, avant d'être expulsé de la communauté. L'usage des boissons alcoolisées était plus sévèrement puni encore. Le propre fils de Hassan, surpris un soir par son père en état d'ébriété, fut condamné à mort, séance tenante ; malgré les supplications de sa mère, il fut décapité le lendemain à l'aube. Pour l'exemple. Plus personne n'osa avaler une gorgée de vin.

La justice d'Alamout était pour le moins expéditive. On raconte qu'un crime fut commis un jour dans l'enceinte de la forteresse. Un témoin accusa le second fils de Hassan. Sans chercher à vérifier les faits, celui-ci fit trancher la tête de son dernier enfant mâle. Quelques jours plus tard, le véritable coupable avouait ; à son tour il était décapité.

Les biographes du Grand Maître mentionnent le massacre de ses fils pour illustrer sa rigueur et son impartialité ; ils précisent que la communauté d'Alamout devint, par le bienfait de ses châtiments exemplaires, un havre de vertu et de moralité, ce qu'on croit aisément ; on sait cependant, par diverses sources, qu'au lendemain de ces exécutions la femme unique de Hassan ainsi que ses filles s'insurgèrent contre son autorité, qu'il ordonna de les chasser d'Alamout et qu'il recommanda à ses successeurs d'agir de même à l'avenir pour éviter que des influences féminines n'altèrent leur droit jugement.

S'extraire du monde, faire le vide autour de sa personne, s'entourer de murailles de pierre et de peur, tel semble avoir été le rêve insensé de Hassan Sabbah. **»**

Amin Maalouf, *Samarcande*,
Éditions Lattès, 1988.

TROISIÈME PARTIE

Histoire des Mongols
et présentation du Grand Khan

CHAPITRE LXIV

La cité de Karakoroum

Karakoroum est une cité de trois milles de circonférence, qui fut la première capitale des Tartares au moment où ils quittèrent leur contrée d'origine. Je vais vous raconter toute leur histoire, comment ils choisirent leur premier seigneur et comment ils étendirent leur empire par le monde.

C'est la vérité que les Tartares demeuraient vers le nord, près des Djurtchet[1] ; dans cette région, il y avait de grandes plaines, sans habitations ni villes ou villages, où l'on trouvait de bons pâturages, avec de grands fleuves et beaucoup d'eau. Les Tartares n'avaient pas de maîtres, mais il est vrai qu'ils payaient un tribut à un grand seigneur qui était appelé

---

1. Djurtchet : peuple qui habitait en Mandchourie.

dans leur langue Ong Khan, ce qui signifie en français Prêtre Jean – et c'est ce Prêtre Jean dont tout le monde parle comme d'un seigneur très puissant. Les Tartares lui versaient un tribut d'une bête pour dix qu'ils avaient.

Or il advint que leur population grandit au point que, lorsque Prêtre Jean s'en aperçut, il pensa qu'ils pourraient lui nuire et décida de les diviser en les répartissant dans différentes régions. Il envoya donc quelques-uns de ses barons pour faire ce qu'il avait décidé, mais quand les Tartares l'apprirent, ils en furent affligés et partirent tous ensemble en direction du nord, par des lieux déserts, et assez loin pour que Prêtre Jean ne pût leur nuire. Ils demeurèrent ainsi quelque temps, en état de rébellion contre lui, refusant de lui verser tribut.

CHAPITRE LXV

Comment Gengis devint le premier Khan des Tartares

Or il advint qu'en l'an 1187, les Tartares élirent roi un des leurs qui s'appelait dans leur langue Gengis Khan. C'était un homme de grande valeur, très intelligent et très vaillant. Et je peux vous dire que, quand il fut élu roi, tous les Tartares du monde, qui étaient éparpillés par ces contrées inhospitalières, s'en vinrent à lui et le reconnurent pour leur seigneur. Ce Gengis Khan les gouvernait bien et noblement. Que pourrais-je ajouter ? Le nombre de ceux qui y vinrent était vraiment extraordinaire. Quand Gengis Khan vit cette multitude, il se prépara à la guerre, fit prendre arcs et armements et partit à la conquête des autres régions. Et je peux vous dire qu'ils s'emparèrent d'au moins huit pays. Toutefois, il se contentait d'emmener les gens avec lui pour soumettre d'autres populations, sans leur faire de mal ni leur prendre leurs biens. C'est ainsi qu'il conquit ce grand nombre de gens que je vous ai dit ; et ceux-ci, voyant le bon gouvernement et la grande bonté de ce seigneur, le suivaient très volontiers. Quand Gengis Khan eut rassemblé une telle foule de gens que toute la terre en était couverte, il décida d'aller conquérir une grande partie du monde.

Il envoya donc ses messagers au Prêtre Jean – c'était en 1200 après la naissance de Jésus-Christ – et lui fit savoir qu'il voulait prendre sa fille pour femme. Quand le Prêtre Jean apprit l'objet de sa requête, il la considéra comme une insolence et dit : « Comment Gengis Khan n'a-t-il pas honte de me demander ma fille pour qu'elle devienne son épouse ? Ignore-t-il donc qu'il est mon vassal et mon serf ? Vous pouvez aller lui dire que je préférerais brûler ma fille plutôt que de la lui donner pour femme et faites-lui savoir que je compte lui infliger la mort pour la félonie et la déloyauté qu'il a manifestées envers son seigneur. » Il donna ensuite aux messagers l'ordre de partir sur-le-champ et de ne plus jamais revenir devant lui. L'ayant entendu, les messagers s'en allèrent aussitôt et chevauchèrent tant qu'ils arrivèrent devant leur seigneur, auquel ils contèrent tout ce que lui faisait savoir le Prêtre Jean, avec ordre et sans rien oublier.

CHAPITRE LXVI

Gengis Khan prépare ses troupes
pour marcher contre le Prêtre Jean

Quand Gengis Khan entendit les propos injurieux que le Prêtre Jean lui transmettait, il en eut le cœur si gonflé de rage que peu s'en fallut qu'il n'éclatât dans sa poitrine, car je vous dis que c'était un homme d'une grande fierté. Au bout d'un moment, il parla et dit, si fort que tous ceux qui l'entouraient l'entendirent, qu'il renoncerait au trône s'il ne réussissait pas à faire payer au Prêtre Jean l'outrage qu'il lui avait fait subir, plus chèrement qu'on fit jamais payer un outrage ; et il ajouta qu'il fallait que très bientôt il lui montre s'il était son serf. Alors, il fit convoquer tous ses hommes et organisa les plus grands préparatifs de guerre qu'on vît ou entendît jamais. Il fit avertir le Prêtre Jean de se défendre le mieux qu'il put car il marchait contre lui avec toute son armée.

Quand le Prêtre Jean apprit de source sûre que Gengis Khan marchait contre lui avec un si grand nombre de soldats, il s'en moqua et n'y attacha aucune importance, affirmant que ce n'étaient pas des guerriers ; mais il n'en décida pas moins de faire tout son possible pour s'emparer de lui, s'il venait, et le mettre à mort. Il fit donc convoquer tous ses gens à travers ses nombreuses terres jusqu'aux plus lointaines et organisa les préparatifs de guerre ; il rassembla une armée d'une telle multitude que jamais on n'en vit plus grande. Ainsi se préparaient de part et d'autre les deux armées. Et pourquoi vous en dire davantage ? Sachez assurément que Gengis Khan vint avec tous ses hommes dans une plaine très vaste et très belle, appelée Tenduc, qui appartenait au Prêtre Jean : c'est là qu'il installa son camp. Je peux vous dire qu'ils étaient une telle foule que nul n'aurait pu en dire le nombre. Là, il reçut la nouvelle que le Prêtre Jean approchait et il s'en réjouit car cette vaste et belle plaine offrait un large espace pour livrer bataille ; c'est pourquoi il l'attendait en cet endroit, impatient de sa venue pour se battre avec lui.

Maintenant, l'histoire cesse de parler de Gengis Khan et de ses troupes et nous retournerons au Prêtre Jean et à ses hommes.

CHAPITRE LXVII

Le Prêtre Jean
marche avec ses troupes contre Gengis Khan

L'histoire conte que, lorsque le Prêtre Jean sut que Gengis Khan se dirigeait contre lui avec toute son armée, il alla à sa rencontre avec ses gens. C'est ainsi qu'ils arrivèrent dans cette plaine de Tenduc et là, ils installèrent leur camp près de celui de Gengis Khan, à une distance de vingt milles ; chacun des adversaires se reposa afin d'être frais et en forme pour le jour de la bataille.

Ainsi se trouvaient réunies les deux immenses armées dans cette plaine de Tenduc. Un jour, Gengis Khan convoqua ses astrologues, qui étaient chrétiens et sarrasins, et leur commanda de lui prédire quel serait le vainqueur de la bataille, lui ou Prêtre Jean. Les astrologues le virent grâce à leur science, pas les Sarrasins qui ne surent lui en dire la vérité, mais les chrétiens le lui montrèrent clairement. Ils mirent devant lui un bambou et le partagèrent en deux dans le sens de la longueur. Ils placèrent chaque moitié de part et d'autre, sans que nul ne les tienne. Puis ils mirent le nom de Gengis Khan sur l'une et le nom de Prêtre Jean sur l'autre et ils dirent : « Seigneur, regardez maintenant ces bambous, vous voyez que celui-ci porte votre nom et celui-là le nom du Prêtre Jean. Ainsi, quand nous aurons procédé à l'enchantement, celui dont le bambou viendra sur l'autre vaincra la bataille. »

Gengis Khan dit qu'il désire le voir et demande aux astrologues de le lui montrer le plus tôt qu'ils pourront. Les astrologues chrétiens, qui ont un psautier, lisent certains psaumes et procèdent à leur enchantement ; alors le bambou qui portait le nom de Gengis Khan, sans que personne ne le touche, rejoint l'autre et monte sur celui du Prêtre Jean, et ce, devant tous ceux qui étaient présents. Quand Gengis Khan le vit, il se réjouit ; et voyant ainsi que les chrétiens disent la vérité, il leur porte depuis ce jour grand respect et les considère toujours comme des hommes dignes de foi.

CHAPITRE LXVIII

La grande bataille qui eut lieu
entre le Prêtre Jean et Gengis Khan

Deux jours après, les deux camps s'armèrent et se livrèrent un farouche combat : ce fut la plus grande bataille que jamais l'on vît. Il y eut de grandes pertes de part et d'autre, mais à la fin, c'est Gengis Khan qui l'emporta. Le Prêtre Jean trouva la mort au cours de la bataille et il perdit sa terre, que Gengis Khan progressivement conquit. Je peux vous dire que depuis cette

bataille, Gengis Khan régna six ans, occupé à conquérir de nombreux châteaux et pays, mais au bout de la
sixième année, il se rendit devant un château nommé
Ha-Lao-Toui et là, il fut blessé d'une flèche au genou
et mourut de cette blessure. Ce fut un grand dommage
car c'était un homme très vaillant et sage.

Je vous ai exposé comment les Tartares eurent leur
premier seigneur, à savoir Gengis Khan, puis je vous
ai conté comment ils vainquirent en premier le Prêtre
Jean. Je vais maintenant vous parler de leurs coutumes
et de leurs usages.

CHAPITRE LXIX

Les successeurs de Gengis Khan

Sachez assurément qu'après Gengis Khan, ce fut
Guyuk Khan qui fut roi, le troisième fut Batou Khan,
le quatrième Œgœdei, le cinquième Mongka Khan, le
sixième Khoubilaï, qui est le plus grand et le plus
puissant, et qui, à lui tout seul, a plus de pouvoir que
les cinq réunis n'en ont eu. Et j'ajoute cette chose bien
extraordinaire : que tous les empereurs du monde et
tous les rois chrétiens ou sarrasins n'auront autant de
pouvoir et ne pourraient faire autant que ce Khoubilaï
Khan, le Grand Khan actuel : c'est ce que je vais vous
montrer tout à fait clairement dans ce livre.

Vous devez savoir que tous les grands seigneurs descendant en droite ligne de Gengis Khan sont ensevelis sur une haute montagne appelée Altaï. À la mort de ces grands seigneurs tartares, même s'ils meurent dans un lieu éloigné de cent journées de cette montagne, leurs corps doivent être apportés là pour y être ensevelis.

Et j'ajoute une autre chose extraordinaire : lorsqu'on apporte les corps jusqu'à cette montagne – à une distance de quarante journées, ou plus, ou moins – toutes les personnes rencontrées sur le chemin emprunté par le cortège sont passées au fil de l'épée par ceux qui conduisent le corps, et qui disent : « Allez servir notre seigneur dans l'autre monde » ; ils croient en effet que tous ceux qu'ils tuent doivent aller servir le seigneur dans l'autre monde. Et ils font de même avec les chevaux : à la mort du seigneur, ils tuent les meilleurs chevaux qu'il possédait afin que ce seigneur en dispose dans l'autre monde. Sachez que, lorsque Mongka Khan mourut, plus de vingt mille hommes furent tués sur le chemin où l'on portait son corps pour aller l'ensevelir.

Puisque nous avons commencé à parler des Tartares, je vais vous en dire bien des choses. Ils demeurent l'hiver en plaine et dans des endroits chauds, où ils trouvent des herbages et de bons pâturages pour leur bétail ; l'été, ils demeurent dans des endroits froids, en montagne ou en vallée, où ils trouvent de l'eau, des bois et de l'herbe pour leurs bêtes.

Ils ont des maisons de bois recouvertes de feutre, de forme arrondie, et ils les emportent avec eux partout où ils vont : ils attachent les baguettes de bois ensemble si bien et de façon si ordonnée qu'ils peuvent facilement les transporter. Lorsqu'ils installent leurs maisons, la porte est toujours orientée vers le sud. Ils ont des charrettes recouvertes de feutre noir, de sorte que, s'il pleut, l'eau ne mouille rien de ce qui est dans la charrette. Ils la font conduire et tirer par des bœufs ou par des chameaux, et, sur la charrette, ils installent leurs femmes et leurs enfants. Et je vous dis que les dames achètent, vendent et fabriquent tout ce qui est utile à leurs maris et à leur famille ; les hommes, en effet, ne s'occupent de rien d'autre que de chasser et d'oiseler avec les faucons, ainsi que de tout ce qui concerne la guerre.

Ils se nourrissent de viande, de lait et de gibier, et ils mangent aussi des marmottes car il y en a en grande quantité dans ces plaines, sous la terre et partout. Ils mangent toutes les viandes, aussi bien celle des chevaux que des chiens, et ils boivent du lait de jument. Ils évitent absolument de toucher à la femme d'un autre car ils le considèrent comme une faute très grave et honteuse. Les dames sont bonnes et loyales envers leurs maris et accomplissent très bien les tâches nécessaires au maintien de la famille. Les mariages se font de la manière suivante : chacun peut prendre autant de femmes qu'il veut jusqu'à cent, s'il peut assurer leur subsistance. Les hommes donnent le douaire[1] à la mère de l'épouse qui, elle, ne donne rien à l'homme. Mais sachez que c'est la première épouse qu'ils considèrent comme la plus respectable et la meilleure. Ils ont plus d'enfants que n'importe quel peuple en raison de leurs nombreuses épouses. Ils peuvent épouser leur cousine et, si le père meurt, son fils aîné peut épouser la femme de son père, à condition qu'elle ne soit pas sa mère. Il peut aussi prendre la femme de son frère de sang si celui-ci meurt. Quand ils se marient, ils font de grandes noces.

CHAPITRE LXX

Le Dieu des Tartares et leur religion

Pour ce qui concerne leur religion, sachez qu'ils ont un dieu qui s'appelle Nacygai, qu'ils tiennent pour un dieu terrestre qui protège leurs enfants, leur bétail et leurs récoltes. Ils lui témoignent un grand respect et l'honorent, car chacun en possède une image dans sa maison : ils confectionnent en effet une figurine avec du feutre et du tissu, et font de la même manière la femme de ce dieu et ses enfants. Ils placent la femme et les enfants dans la partie gauche de la maison, met-

---

1. Douaire : biens donnés ou reçus par les deux familles lors d'un mariage.

tant devant les enfants, et lui témoignent beaucoup d'honneurs. Lorsqu'ils s'apprêtent à manger, ils prennent du gras de viande et en enduisent la bouche de ce dieu, de sa femme et de ses enfants ; ensuite, ils prennent du bouillon et le répandent dehors, devant la porte de la maison. Quant ils ont fait cela, ils disent que leur dieu et sa famille ont reçu leur part ; après quoi, ils mangent et boivent. Sachez qu'ils boivent du lait de jument, mais ils le préparent de telle façon qu'il ressemble à du vin blanc, il a un bon goût et s'appelle le *koumis*.

Voici comment ils s'habillent : les hommes riches portent des vêtements en drap d'or et de soie et des fourrures précieuses de zibeline, d'hermine, d'écureuil ou de renard. Leur armement est très beau et de grande valeur. Leurs armes sont des arcs, des épées et des masses ferrées, mais ce sont les arcs qu'ils utilisent davantage car ils sont d'excellents archers. Ils recouvrent leur dos d'armures de cuir de buffle et d'autres cuirs bouillis qui sont très solides.

Ce sont de bons guerriers au combat, très vaillants et endurants plus que d'autres hommes, comme je vais vous le montrer : souvent, en effet, quand c'est nécessaire, ils peuvent chevaucher ou demeurer sur place un mois sans nourriture autre que le lait de jument qui leur permet de survivre et la viande du gibier qu'il leur arrive d'attraper. Leurs chevaux paissent l'herbe qu'ils trouvent car ils n'emportent ni orge ni paille.

Les Tartares sont très obéissants envers leur maître et je vous assure que, lorsque c'est nécessaire, ils restent toute la nuit sur leurs montures avec leurs armes, et le cheval ne cessera de brouter l'herbe. C'est le peuple du monde qui est le plus endurant à l'effort et à la souffrance, qui exige le moins de dépenses et qui est le meilleur pour conquérir terres et royaumes.

Leur armée est organisée de la manière que je vais vous dire : sachez que, lorsqu'un seigneur tartare part à la guerre, il emmène avec lui cent mille cavaliers, qu'il ordonne de la façon suivante : il donne un chef à chaque dizaine, à chaque centaine, à chaque millier, à chaque dizaine de milliers, de sorte que son conseil ne comprend que dix hommes ; et celui qui commande à dix mille hommes n'a lui-même affaire qu'à dix hommes ; et il en va de même pour celui qui commande à mille hommes et pour celui qui commande à cent. Ainsi chacun répond à son chef comme vous l'avez entendu […].

Quand les armées se mettent en mouvement, en plaine ou en montagne, ils envoient, deux journées en avant, deux cents hommes comme éclaireurs, et pareillement derrière eux et sur chaque côté : ainsi font-ils des quatre côtés afin que l'armée ne puisse être attaquée à leur insu. Quand ils se déplacent sur de grandes distances, ils n'emportent pas de bagages : ils ont seulement deux gourdes de cuir où ils mettent le lait qu'ils boivent et une petite marmite où ils font cuire leur viande, et ils emportent une petite tente où ils s'abritent de la pluie. Je peux vous assurer que, quand c'est nécessaire, ils chevauchent dix jours de suite sans nourriture et sans faire du feu, vivant du sang de leurs chevaux : chacun pique la veine de son cheval et boit son sang. Ils ont aussi du lait séché qui a la consistance d'une pâte, ils le mélangent à de l'eau, le battent jusqu'à ce qu'il s'y dissolve et le boivent.

Quand ils livrent bataille à leurs ennemis, ils les vainquent de la façon suivante : ils ne considèrent pas en effet la fuite comme une honte. Ils vont ici et là, autour de leurs ennemis ; ils sont si habitués à chevaucher qu'ils se tournent de ci et de là, aussi prestement que ferait un chien. Quand on les chasse, ils prennent la fuite, combattant aussi bien et aussi vigoureusement que lorsqu'ils sont face à leurs ennemis. En effet, aussitôt qu'ils s'enfuient, ils se tournent vers l'arrière avec leurs arcs et tirent des flèches à coups répétés, tuant les chevaux des ennemis aussi bien que les hommes. Et quand leurs ennemis croient les avoir vaincus, c'est l'inverse qui s'est produit car les chevaux ont été tués ainsi qu'un grand nombre d'hommes. Dès que les Tartares s'aperçoivent qu'ils ont abattu des chevaux à leurs adversaires ainsi que des hommes, ils se tournent vers eux et se battent si bien et si vaillamment qu'ils écrasent l'ennemi. C'est de cette manière qu'ils ont triomphé dans de nombreuses batailles.

Tout ce que je viens de vous conter concerne les us et coutumes des vrais Tartares ; mais je dois vous dire que maintenant, ils se sont beaucoup abâtardis. En effet, ceux qui vivent au Catay suivent les us et coutumes des idolâtres et ont abandonné leur religion, et ceux qui vivent au Levant[1] se conduisent à la façon des Sarrasins.

Voici comment ils exercent la justice : c'est la vérité que, quand un homme a commis quelque petit larcin qui ne mérite pas la peine de mort, on lui donne sept coups de bâton, ou dix-sept, ou vingt-sept, ou trente-sept, ou quarante-sept, et ainsi de suite jusqu'à cent sept, la peine augmentant de dix coups en dix coups selon l'importance du vol ; il arrive souvent que la bastonnade soit mortelle. Si un homme vole un cheval ou autre chose qui mérite la peine de mort, on le coupe en deux au moyen d'une épée ; s'il s'avère que celui qui vole peut payer et qu'il accepte de donner huit fois la valeur de ce qu'il a volé, il a la vie sauve.

Les seigneurs et ceux qui sont de riches propriétaires font marquer leurs bêtes de leur signe : les chevaux, les juments, les chameaux, les bœufs, les vaches et toute autre grosse bête ; puis ils les laissent aller par monts et plaines sans gardiens. Et si elles se mélan-

---

1. Levant : il s'agit de la Perse où les Mongols s'étaient installés de façon durable, avec à leur tête un Il-Khan qui dépendait du Grand Khan installé à Pékin et était lui aussi issu du lignage de Gengis Khan ; mais il jouissait malgré tout d'une certaine autonomie. Comme le précise Marco Polo, les Il-Khans adoptèrent souvent la religion musulmane.

gent les unes aux autres, chacun rend son bien à celui dont il porte la marque. En revanche, ils font garder les brebis, les moutons et les chèvres. Toutes leurs bêtes sont extrêmement belles, énormes et grasses.

Je terminerai par une autre coutume extraordinaire que j'avais oublié d'écrire. Sachez assurément que, quand il y a deux hommes qui ont eu, le premier un fils qui est mort à l'âge de quatre ans ou davantage, le second une fille qui est morte elle aussi, ils organisent des mariages entre eux, donnant la fille morte comme épouse au fils mort, et ils le font écrire sur des papiers. Ensuite, ils brûlent ces papiers et ils disent que la fumée qui s'élève va jusqu'à leurs enfants dans l'autre monde : ainsi ils l'apprendront et se considéreront comme mari et femme. Ils célèbrent de grandes noces, prennent des nourritures qu'ils répandent çà et là, disant qu'elles vont rejoindre leurs enfants dans l'autre monde. Ils font aussi autre chose : ils font peindre et représenter sur du papier des figures humaines à leur ressemblance, ainsi que des chevaux, des tissus, des monnaies et des équipements, puis ils les font brûler. Ils disent que leurs enfants recevront dans l'autre monde tout ce qu'ils ont fait représenter et brûler. Et après cela, ils se considèrent comme parents et la parenté qui les unit est la même que si les enfants avaient été vivants.

Ainsi je vous ai montré et exposé clairement les us et coutumes des Tartares, mais je ne vous ai pas conté tout ce qui concerne le Grand Khan, le grand roi des Tartares, et sa magnifique cour impériale, que je vais vous décrire un peu plus loin […].

CHAPITRE LXXV

La ville de Chang-Tou
et le merveilleux palais du Grand Khan

Quand on quitte la ville de Tchaghan-Nor dont je viens de vous parler et qu'on parcourt trois journées, on trouve une ville appelée Chang-Tou que fit bâtir Khoubilaï, le Grand Khan qui règne actuellement. Dans cette ville, Khoubilaï Khan a fait construire un immense palais de pierre et de marbre : les salles et les pièces sont toutes couvertes d'or et il est extraordinairement beau et bien décoré. Le palais est entouré d'un mur qui délimite bien seize milles de terre, où l'on trouve des fontaines, des rivières et des prairies. Le Grand Khan y fait garder toutes sortes de bêtes non sauvages, à savoir des daims, des cerfs, des chevreuils, pour donner à manger aux gerfauts et aux faucons qu'il tient en mue dans ce lieu. Il y a bien deux cents gerfauts, et lui-même va les voir en la mue une fois par semaine. Souvent, le Grand Khan se rend dans cette prairie entourée de murs et il emmène avec lui un léopard sur la croupe de son cheval ; quand il le désire, il le laisse aller pour attraper un cerf, un daim ou un chevreuil, puis il les fait donner aux gerfauts qu'il tient en mue ; et ainsi fait-il pour son plaisir et sa distraction.

Et sachez encore qu'au milieu de cette prairie entourée de murs, le Grand Khan a fait faire un palais de bambous, dont l'intérieur est couvert de dorures et décoré de bêtes et d'oiseaux finement ouvragés ; la toiture est elle-même faite entièrement de bambous vernissés, de sorte que l'eau ne peut l'endommager. Je vais vous dire comment on l'a bâti : sachez que ces bambous ont une grosseur supérieure à trois paumes et une longueur entre dix et quinze pas. On les coupe par le milieu d'un nœud à l'autre, et avec ces bambous si gros et si grands, on peut couvrir des maisons, mais aussi les construire entièrement avec ce matériau. Quant au palais dont je viens de vous parler, le Grand Khan l'avait conçu de telle manière qu'il le faisait démonter toutes les fois qu'il le voulait car il était soutenu par plus de deux cents cordages de soie.

Je peux vous dire que le Grand Khan demeure en cet endroit trois mois de l'année : juin, juillet et août, car en cette saison il trouve là fraîcheur et distractions. Pendant ces trois mois, il garde le palais de bambous installé tandis qu'il le fait démonter le reste de l'année ; et il est si bien conçu qu'il peut le monter et le démonter à son gré.

Quand les vingt-huit premiers jours d'août sont

écoulés, le Grand Khan quitte cette ville et ce palais, chaque année le même jour, pour la raison que je vais vous dire. C'est la vérité qu'il possède une race de chevaux blancs et de juments blanches comme neige, sans tache d'autre couleur, qui sont en très grande quantité : il y a en effet plus de dix mille juments. Or personne n'ose boire le lait de ces juments blanches s'il n'appartient au lignage du Grand Khan, à l'exception d'un autre peuple, celui des Oïrat, qui ont reçu ce privilège de Gengis Khan en raison d'une victoire qu'ils ont obtenue jadis en s'alliant avec lui. Je peux vous assurer que, quand ces troupeaux blancs se déplacent, on leur témoigne beaucoup de respect : si un grand seigneur circule dans leurs parages, il évite de passer au milieu d'eux, préférant attendre qu'ils soient passés ou bien faisant un détour par-devant afin de les précéder. Les astrologues et les idolâtres ont dit au Grand Khan que l'on doit répandre de ce lait chaque année le vingt-huitième jour d'août dans l'air et sur la terre, afin d'en donner à boire aux esprits qui veilleront ainsi à la sauvegarde de tous ses biens, de ses gens, hommes et femmes, de ses animaux, de ses récoltes et de tout le reste.

Ainsi, le Grand Khan se met en route pour gagner un autre lieu. Mais je dois vous parler d'une chose extraordinaire que j'avais oubliée. Sachez que quand le Grand Khan demeure en son palais et qu'il fait mauvais temps, qu'il y a de la pluie ou du brouillard, les astrologues et les magiciens qui sont en sa compagnie, grâce à leur science et à leur magie, peuvent faire disparaître les nuages et le mauvais temps, de sorte que le ciel au-dessus du palais est serein et que le mauvais temps part ailleurs. Ces hommes expérimentés, capables de faire cela, sont appelés tibétains et cachemiriens – ce sont deux peuples idolâtres[1]. Ils s'y connaissent en art diabolique et en magie plus que tous les autres hommes et, bien qu'ils fassent croire aux autres que ce qu'ils font, c'est par œuvre de Dieu et en raison de leur grande sainteté, ils agissent ainsi par art de diable […].

Sachez que ces sorciers dont je viens de vous parler et qui s'y connaissent tant en magie font une chose extraordinaire que je vais vous dire. Quand le Grand Khan est assis dans la salle principale à sa table, qui est bien à huit coudées de hauteur, et que les coupes, pleines de vin, de lait ou d'autres boissons, sont posées sur le sol pavé, éloignées de la table de bien dix pas, ces savants magiciens que l'on appelle *bakchi* parviennent, grâce à leur pouvoir et à leurs sortilèges, à faire se lever toutes seules ces coupes pleines et à les faire aller du sol où elles étaient posées jusque devant le Grand Khan, sans que personne ne les touche. Ils font cela sous les yeux de dix mille hommes, on ne

---

1. Idolâtres (tibétains et cachemiriens) : c'étaient en effet les bouddhistes lamaïstes (voir de nos jours le dalaï-lama), appelés *bakchi*, qui avaient à ce moment-là la faveur du Grand Khan Khoubilaï.

peut donc en douter ; d'ailleurs, ceux qui s'y connaissent en magie noire vous confirmeront que c'est tout à fait possible [...].

CHAPITRE LXXXII

L'aspect du Grand Khan

Le grand seigneur des seigneurs qui est appelé Khoubilaï Khan a l'aspect suivant : il est d'une belle taille, ni petit ni grand, d'une taille moyenne ; il est charnu sans excès et son corps est bien découpé avec des membres bien proportionnés. Son visage est blanc et vermeil comme rose, ses yeux noirs et beaux, son nez bien fait et bien mis.

Il a quatre femmes qu'il considère toutes comme ses épouses légitimes et c'est l'aîné des fils qu'il a eus avec ces quatre femmes qui sera l'héritier légitime de l'empire quand il mourra. Elles sont appelées impératrices, chacune par son nom, et elles ont chacune leur propre cour. Toutes ont quatre cents demoiselles, très belles et aimables, ainsi que beaucoup de jeunes écuyers, et d'autres hommes et femmes à leur service, de sorte que chacune de ces dames a dix mille personnes à sa cour. Chaque fois qu'il veut dormir avec l'une de ses quatre épouses, il la fait venir dans sa chambre ou parfois se rend dans la chambre de sa femme.

Il a aussi beaucoup d'amies, de la manière dont je vais vous expliquer. C'est la vérité qu'il y a une race de Tartares appelés Qonggirats qui sont particulièrement beaux. Chaque année, on choisit cent jeunes filles, les plus belles que l'on trouve chez ce peuple, et elles sont amenées au Grand Khan. Il les confie aux dames du palais afin qu'elles vérifient si elles ont bonne haleine, si elles sont bien pucelles et si elles sont bien saines à tous égards. Celles qui sont belles, bonnes et saines sont placées au service du Grand Khan de la façon suivante : tous les trois jours et trois nuits, six de ces demoiselles servent le seigneur dans sa chambre et dans son lit et le Grand Khan dispose d'elles comme il l'entend. Au bout de ces trois jours et trois nuits viennent six autres demoiselles ; et ainsi de suite toute l'année, les demoiselles sont renouvelées de six en six tous les trois jours et trois nuits.

CHAPITRE LXXXIV

Le palais du Grand Khan

Sachez que le Grand Khan demeure dans la capitale du Catay, nommée Pékin, trois mois par an : décembre, janvier et février. C'est dans cette ville qu'il a son palais, que je vais maintenant vous décrire.

Il y a d'abord un grand mur carré, qui fait un mille

de côté, soit quatre milles de tour. Ces murs sont très épais et hauts de bien dix pas ; ils sont tous blancs et crénelés. Sur chaque côté de ce mur, il y a un grand palais très beau et somptueux, dans lequel sont conservés les armements du Grand Khan : les arcs, les carquois, les selles, les freins des chevaux, les cordes des arcs et tout ce qui est nécessaire à la guerre. En outre, entre deux palais, il y en a un autre semblable à ceux des coins, si bien qu'il y a en tout huit palais le long des murs, tous remplis des armements du grand roi. Mais en chacun, il n'y a qu'une sorte de choses ; ainsi l'un est rempli seulement d'arcs, l'autre de selles, et ainsi de suite pour chacun.

Ce mur a sur son côté sud cinq portes : au milieu, une grande porte qui ne s'ouvre jamais, sauf pour laisser entrer ou sortir le Grand Khan. De chaque côté de cette grande porte, il y en a deux petites, par où entrent les autres gens. De même, ceux-ci peuvent entrer ou sortir par les deux autres portes situées aux deux extrémités de ce côté.

À l'intérieur de ce mur, on en trouve un second qui est un peu plus long que large, et le long duquel il y a aussi huit palais disposés de la même façon que les précédents et qui renferment encore des armements appartenant au grand roi. Il a aussi cinq portes sur le côté méridional, semblables à celles du premier mur, tandis que les autres côtés n'ont qu'une porte.

Au milieu de ces murs se trouve le palais du Grand

Khan, bâti comme je vais vous le dire. C'est le plus grand qu'on ait jamais vu. Il n'a pas d'étage mais le pavement est bien dix paumes plus élevé que le sol alentour et le toit est très haut. Les murs des salles et des chambres sont tous couverts d'or et d'argent et on y a peint des dragons, des bêtes, des oiseaux, des chevaliers, et toutes sortes d'animaux. Le plafond est ainsi fait que l'on n'y aperçoit rien d'autre que de l'or et des peintures. La salle est si vaste que six mille hommes pourraient bien y prendre leurs repas. Les chambres sont si nombreuses que c'est un spectacle extraordinaire. Ce palais est si grand et superbe que personne ne pourrait en concevoir un qui soit mieux fait. Les tuiles du toit sont toutes vermeilles, vertes, bleues, jaunes et de toutes les couleurs. Elles sont si bien vernissées qu'elles resplendissent comme du cristal, de sorte qu'on les voit briller de très loin à la ronde ; et sachez que cette toiture est si solide et résistante qu'elle dure beaucoup d'années.

Entre les deux murs que je viens de vous décrire, il y a des prairies et de beaux arbres avec une grande diversité d'espèces de bêtes : des cerfs blancs, des bêtes dont on tire le musc, des daims, des chevreuils, des écureuils et d'autres animaux, qui peuplent tout cet espace, à l'exception des chemins, réservés aux hommes.

Sur le côté qui se trouve au nord ouest, il y a un très grand lac avec plusieurs sortes de poissons, que le

Grand Khan y a fait mettre, et lorsqu'il désire telle ou telle sorte de poissons, il n'a qu'à les faire pêcher. Un grand fleuve entre dans ce lac et en sort, mais les poissons, eux, ne peuvent en sortir à cause de filets de fer et de cuivre.

J'ajoute que vers le nord, à une distance d'une portée d'arbalète, il a fait faire une colline qui a bien cent pas de hauteur et un mille de tour et ce mont est couvert d'arbres qui ne perdent pas leurs feuilles et sont toujours verts. Je peux vous dire que, dès que le Grand Khan apprend qu'il y a un bel arbre, il le fait transporter avec toutes ses racines et la terre où il a poussé et à l'aide d'éléphants on l'amène sur cette colline ; peu importe la grosseur de l'arbre. C'est ainsi qu'on trouve là les plus beaux arbres du monde. Je dois aussi vous dire que le grand roi a fait recouvrir toute cette colline de roche de lapis-lazuli de couleur verte, de sorte que tout est vert, les arbres comme le sol ; c'est pourquoi la colline s'appelle *le mont vert*. Au beau milieu du sommet, il y a un grand et beau palais, lui-même tout vert. L'ensemble de la colline, des arbres et du palais offre un si beau spectacle que tous ceux qui le voient en éprouvent plaisir et joie : c'est pour cette raison que le Grand Khan l'a fait faire, afin d'offrir ce beau spectacle qui procure réconfort et plaisir.

CHAPITRE LXXXVI

La garde du Grand Khan

Sachez que le Grand Khan se fait garder par douze mille cavaliers appelés *quesitan*, mot qui veut dire en français chevaliers et serviteurs fidèles du seigneur, mais il le fait pour son prestige et non par crainte de tel ou tel. Ces douze mille hommes ont quatre capitaines, qui chacun commande trois mille hommes. Ces trois mille demeurent au palais du grand roi pendant trois jours et trois nuits, mangeant et buvant sur place. Quand ils ont assuré la garde trois jours et trois nuits, ils s'en vont et sont remplacés par trois mille autres pour les trois jours et trois nuits suivants, et ainsi de suite jusqu'à ce qu'ils aient tous assuré la garde, après quoi l'on recommence, et il en va ainsi toute l'année.

Quand le Grand Khan se tient à sa table lorsqu'il réunit sa cour, il siège de la manière suivante : sa table est beaucoup plus haute que les autres. Il s'assied vers le nord, de sorte que son regard est dirigé vers le sud ; sa première épouse est assise à côté de lui à gauche, et à droite, un peu plus bas, sont assis ses fils, ses neveux et ses parents, appartenant au lignage impérial, de sorte que leurs têtes arrivent aux pieds du grand roi ; et les autres barons sont assis aux tables placées encore plus bas. Il en va de même pour les femmes : les épouses des fils du grand roi, de ses neveux et de ses parents sont assises sur le côté gauche un peu plus bas, et ensuite encore un peu plus bas toutes les épouses des barons et des chevaliers. Chacun connaît le lieu où il doit prendre place, selon l'ordre réglé par le seigneur. Les tables sont disposées de telle façon que le grand roi peut voir tout le monde, ce qui représente une foule énorme. À l'extérieur de la salle, il y a bien quarante mille hommes qui mangent, car grande est la foule de ceux qui viennent avec des présents nombreux et riches ; il s'agit de gens venus de terres lointaines avec des cadeaux étranges ; il y a aussi des gens qui ont reçu une terre en seigneurie et veulent la conserver ; ces hommes viennent ces jours où le Grand Khan tient sa cour et organise des fêtes.

Au milieu de cette salle où le grand roi tient table, il y a un grand pichet d'or fin qui contient bien autant de vin qu'un grand tonneau, et autour, c'est-à-dire aux quatre coins, il y en a un plus petit, qui contient d'autres sortes de boissons. On tire le vin ou les autres précieux breuvages pour en emplir de grands pots vernissés d'or, qui ont bien une contenance suffisante pour huit ou dix hommes, et on les place entre deux hommes assis à la même table. Chacun d'eux a une coupe d'or munie d'un manche, avec laquelle ils se servent le vin contenu dans le grand pot d'or. Et de la même façon, les dames ont un grand pot pour deux et deux coupes pour le servir.

Sachez que ces pots vernissés ont une grande valeur : je peux vous dire que le grand roi possède une telle quantité de vaisselle d'or et d'argent que personne ne voudrait le croire sans l'avoir vu. Sachez aussi qu'il y a plusieurs barons qui essaient les nourritures et les boissons destinées au Grand Khan, et je peux vous dire qu'ils ont la bouche et le nez emmaillotés de belles serviettes de soie et d'or afin que ni leur haleine ni leur odeur ne pénètrent dans les nourritures et les boissons du grand roi.

Quand le grand roi doit boire, tous les instruments, qui sont très nombreux et de toutes sortes, se mettent à retentir ; et quand le grand roi a sa coupe dans la main, tous les barons et les gens présents s'agenouillent et se prosternent : alors, le grand roi boit ; il en va de même chaque fois. Il serait superflu de parler des nourritures ; il suffit de savoir qu'il y en a en très grande quantité, et je peux vous dire qu'aucun baron ni chevalier ne mange sans amener sa femme, qui mange elle-même avec les autres dames. Quand le repas est fini, on ôte les tables ; alors entrent dans la salle, devant le grand roi et tous les présents, une très grande foule de jongleurs et de comédiens et beaucoup d'autres hommes qui font toutes sortes de tours. Tous se réjouissent et festoient devant le grand roi et les gens manifestent leur joie, rient et se divertissent. Quand la fête est finie, tous partent et regagnent leurs maisons.

CHAPITRE LXXXVII

La fête que le Grand Khan organise pour son anniversaire

Sachez que tous les Tartares organisent une fête pour leur anniversaire. Le grand roi naquit le vingt-huitième jour de la lune de septembre, et il organise ce jour-là la plus grande fête de l'année avec celle qui célèbre le début de l'année, dont je vais vous parler ensuite.

Vous devez savoir que le jour de son anniversaire, le Grand Khan revêt des habits somptueux d'or battu, et il y a bien douze mille barons et chevaliers qui s'habillent comme lui avec des vêtements semblables et de même couleur : certes, ils ne sont pas si somptueux, mais ce sont des habits de soie et d'or ayant même couleur, et tous portent une ceinture d'or ; c'est le grand roi qui leur donne de tels vêtements. Je peux vous assurer que certains ont tant de pierres précieuses et de perles par-dessus qu'ils valent plus de dix mille pièces d'or. Sachez que le Grand Khan fait don de riches vêtements à ses douze mille barons et chevaliers treize fois dans l'année, et chaque fois, ce sont des vêtements de la même couleur que les siens et de grand prix. C'est bien là une chose extraordinaire, et il n'y a nul autre seigneur au monde qui pourrait se comporter aussi généreusement, à part lui.

CHAPITRE LXXXIX

La grande fête organisée
par le Grand Khan pour le début de l'année

C'est la vérité qu'ils célèbrent le début de l'an au mois de février ; le grand roi et tous ceux qui lui obéissent le fêtent de la façon que je vais vous décrire. La coutume veut que le Grand Khan ainsi que tous ses sujets revêtent des habits blancs, aussi bien les hommes que les femmes, pour la raison qu'un vêtement blanc leur semble porter bonheur et chance : en le revêtant le premier jour de l'année, ils espèrent ainsi que toute l'année, ils auront profit et joie. Ce jour-là, tous ceux qui tiennent de lui terres et seigneuries viennent de tous les pays et régions et lui apportent de superbes présents d'or, d'argent, de pierres précieuses, de perles et de riches tissus blancs. Ils agissent ainsi pour que leur seigneur ait toute l'année des trésors en grande quantité et connaisse joie et bonheur. Et j'ajoute que les barons, les chevaliers et tout le monde se font les uns aux autres des présents de couleur blanche, s'embrassent et se font fête afin d'avoir une bonne et heureuse année.

Sachez de plus que, ce jour-là, on présente au Grand Khan plus de cent mille chevaux blancs très beaux et de grand prix. Il y a aussi ses éléphants qui viennent, qui sont bien cinq mille, tout couverts de belles étoffes ornées de bêtes et d'oiseaux ; chacun porte sur le dos deux beaux coffres précieux, remplis de la vaisselle du seigneur et de riches équipements pour cette fête blanche. Il y vient aussi une très grande quantité de chameaux, eux aussi couverts d'étoffes et chargés de tout ce qui est nécessaire à la fête. Tous défilent devant le seigneur et c'est bien le plus beau spectacle du monde.

Je peux vous dire que le matin de cette fête, avant que les tables soient dressées, tous les rois, ducs, marquis, comtes, barons, chevaliers, astrologues, médecins, fauconniers, et beaucoup d'autres officiers et gouverneurs de gens, de terres et d'armée, viennent dans la grande salle devant le seigneur ; ceux qui ne peuvent entrer demeurent à l'extérieur du palais, en un lieu où le seigneur peut les voir. Ils sont rangés de la manière suivante : tout d'abord, il y a ses fils, ses neveux et ceux de son lignage, puis viennent les rois, les ducs, et tous les autres à la suite, selon la place qui leur revient. Quand ils sont tous assis, chacun à sa place, un grand prêtre se lève alors et dit d'une voix forte : « Inclinez-vous et adorez ! »

Aussitôt, ils s'inclinent, mettant le front à terre, et font leur prière au seigneur, l'adorant comme si c'était un dieu ; ainsi l'adorent-ils quatre fois. Ils vont alors jusqu'à un autel très bien décoré, sur lequel il y a une table vermeille où est écrit le nom du Grand Khan. On y trouve aussi un encensoir, et ils encensent cette table et l'autel avec beaucoup de respect, puis ils regagnent leur place. Après cela, ils se font les présents dont je vous ai parlé, qui sont de si grand prix, et lorsque les cadeaux ont été échangés et que le seigneur a vu tous les présents, alors on dresse les tables, de la façon que je vous ai plus haut indiquée […].

Comment le Grand Khan
chasse le gros gibier et les oiseaux

Quand le grand roi est demeuré trois mois dans la cité que je vous ai décrite plus haut – c'est-à-dire décembre, janvier et février –, il la quitte au mois de mars et va vers le sud jusqu'à la mer océane, qui est à deux journées de voyage. Il emmène avec lui dix mille fauconniers et emporte cinq cents gerfauts ainsi que des faucons pèlerins et des faucons sacres en grande quantité ; et ils emportent aussi de nombreux autours pour oiseler en rivière ; mais n'allez pas croire qu'il les garde tous ensemble avec lui en un seul lieu : en effet, il les répartit çà et là, par groupes de cent ou deux cents ou plus, et ceux-ci oisellent, apportant au grand roi la majeure partie des oiseaux qu'ils prennent.

Et je vous dis que quand le grand roi oiselle lui-même avec ses gerfauts et d'autres oiseaux, il a bien dix mille hommes, rangés deux par deux, qui s'appellent *toscaor*, ce qui signifie en notre langue ceux qui montent la garde ; ainsi font-ils, demeurant çà et là deux par deux, de telle sorte qu'ils couvrent une bonne portion de terrain ; et chacun a un appeau[1] et un capuchon pour pouvoir appeler les oiseaux et les retenir. Quand le grand roi fait lâcher ses oiseaux, il est inutile que ceux qui les lâchent courent derrière eux, puisque les hommes qui sont, comme je vous l'ai dit, répartis çà et là les gardent si bien qu'ils ne peuvent aller nulle part sans être suivis de près ; et si les oiseaux ont besoin d'aide, elle leur est aussitôt fournie.

Tous les oiseaux du grand roi ainsi que ceux des autres barons ont une petite tablette d'argent à la patte, sur laquelle sont écrits les noms de son propriétaire et de celui qui le garde. Ainsi, l'oiseau est reconnu aussitôt qu'il est pris et rendu à son propriétaire. Et si l'on ne sait pas à qui il appartient, on l'apporte à un baron qui est appelé *bularguci*, qui veut dire le gardien des choses qui ne trouvent propriétaire : car je peux vous dire que, si l'on trouve un cheval ou une épée ou un oiseau ou autre chose dont on ne sait à qui il appartient, aussitôt on l'apporte à ce baron, qui le fait prendre et garder. Si celui qui le trouve ne le lui porte pas aussitôt, on le considère comme un voleur. Quant

---

1. Appeau : sifflet ou instrument à vent avec lequel on imite le cri des oiseaux pour les attirer ou les appeler.

à ceux qui ont perdu quelque chose, ils vont voir ce baron qui le leur fait remettre aussitôt s'il l'a. Ce baron demeure toujours dans l'endroit le plus élevé de toute l'armée avec sa bannière, afin d'être immédiatement repéré par ceux qui ont égaré quelque chose, et de cette façon, on ne peut rien perdre qui ne soit retrouvé et rendu.

Sur ce chemin que suit le grand roi, comme je vous l'ai dit, vers la mer océane, il peut assister à beaucoup de belles scènes de chasse où l'on prend gros gibier et oiseaux ; il n'y a aucun divertissement au monde qui vaille celui-là. Le grand roi se déplace toujours sur quatre éléphants, où l'on a installé une belle chambre de bois, recouverte à l'intérieur de draps d'or battu et à l'extérieur de peaux de lion. Le grand roi garde toujours avec lui douze gerfauts parmi les meilleurs qu'il possède et plusieurs seigneurs restent en sa compagnie pour le divertir. Je peux vous dire que, tandis que le grand roi est ainsi dans sa chambre sur les éléphants, si les autres seigneurs qui chevauchent tout autour lui disent : « Seigneur, des grues passent », il fait découvrir le toit de la chambre et voit ainsi les grues ; il fait alors prendre les gerfauts pour les lâcher, et le plus souvent ceux-ci attrapent les grues ; le grand roi assiste toujours à ce spectacle en restant dans son lit, ce qui est pour lui un bien grand divertissement et un bien grand plaisir […].

CHAPITRE XCVI

Comment le Grand Khan
fait dépenser du papier en guise d'argent

C'est la vérité que l'Hôtel de la Monnaie du grand roi se trouve à Pékin et son fonctionnement est tel que l'on peut bien dire que le Grand Khan est un parfait alchimiste, comme je vais maintenant vous le montrer.

Sachez qu'il fait fabriquer une monnaie telle que je vais vous dire : il fait récolter des écorces d'arbres – ce sont des mûriers, dont les vers qui font la soie mangent les feuilles – et les fines enveloppes qui se trouvent entre l'écorce et le tronc de l'arbre ; c'est avec ces fines enveloppes, qui sont toutes noires, qu'il fait fabriquer ce matériau qui ressemble à du papier. Quand ce papier est prêt, on le découpe de la manière suivante : le plus petit équivaut à un demi-tournois, celui qui est un peu plus grand vaut un tournois, puis on a successivement le demi-gros d'argent, le gros d'argent, équivalant à un gros d'argent de Venise, celui qui vaut deux gros, celui qui en vaut cinq, celui qui en vaut dix, l'autre qui a la valeur d'un besant, l'autre de trois, et ainsi de suite jusqu'à dix besants.

Tous ces papiers sont munis du sceau du grand roi et il en fait fabriquer en telle quantité qu'il pourrait payer toutes les richesses du monde entier. Quand ces papiers sont faits de la manière que je vous ai décrite, il effectue tous les paiements par ce moyen et les fait dépenser à travers toutes les provinces, royaumes et terres qu'il gouverne ; nul n'ose les refuser sous peine de perdre la vie. Je peux vous assurer que tous les gens qui habitent dans des régions qui lui sont soumises acceptent volontiers ce papier en paiement car, partout où ils vont, ils effectuent par ce moyen tous leurs achats de marchandises, de perles, de pierres précieuses, d'or et d'argent ; ils peuvent ainsi tout acheter en payant avec ce papier ; et pourtant, je peux vous dire que le papier qui vaut dix besants ne pèse même pas le poids d'un.

J'ajoute que, plusieurs fois dans l'année, les marchands viennent, par groupes, avec des perles, des pierres précieuses, de l'or, de l'argent et d'autres choses – des draps d'or et de soie – dont ils font présent au grand roi. Celui-ci fait appeler douze hommes compétents, qui ont une connaissance spéciale de ces produits et sont expérimentés dans cette pratique. Il leur commande d'examiner ce que les marchands ont apporté et de les faire payer ce qu'ils valent, à leur avis. Ces douze hommes soumettent ces produits à leur examen et ils les font payer à la valeur qu'ils ont estimée, avec le papier dont je vous ai parlé. Les marchands l'acceptent très volontiers car ensuite, ils l'utilisent comme monnaie d'échange pour tout ce qu'ils achètent à travers les terres du grand roi. Je peux vous garantir que, plusieurs fois par an, les marchands apportent une telle quantité de choses qu'elles valent bien quatre cent mille besants ; et le grand roi les fait toutes payer avec ce papier.

J'ajoute que plusieurs fois par an, commandement est donné par la ville que tous ceux qui ont des pierres, des perles, de l'or et de l'argent doivent les porter à l'Hôtel de la Monnaie du grand roi. Ainsi font-ils et ils en apportent en si grande quantité que le compte en est impossible à faire ; tous sont payés avec du papier. De cette façon, le grand roi entre en possession de tout l'or, l'argent, les perles, les pierres précieuses de toutes ses terres.

Je veux aussi vous dire une chose digne d'être mentionnée : quand on a gardé ce papier un certain temps et qu'il se déchire et s'abîme, on le porte à l'Hôtel de la Monnaie où il est échangé contre du nouveau, de telle façon qu'on en laisse trois pour cent. J'ajoute encore un détail qui vaut la peine d'être conté : si un homme veut acheter de l'or ou de l'argent pour se faire faire de la vaisselle ou des ceintures ou d'autres biens précieux, il va à l'Hôtel de la Monnaie du grand roi, où il apporte de ce papier en paiement de l'or et de l'argent qu'il achète au maître de la Monnaie.

Je vous ai conté comment et pourquoi le grand roi possède une plus grande quantité de trésor que nul homme au monde. Davantage : je peux vous dire que tous les seigneurs réunis n'ont pas autant de richesses que n'en a à lui tout seul le grand roi […].

Les routes qui partent de la ville de Pékin pour desservir les nombreuses provinces

Sachez assurément que de la ville de Pékin partent de nombreuses routes qui desservent chacune une province dont elles portent le nom, ce qui constitue une mesure pleine de bon sens. Sachez que, lorsque les messagers du grand roi quittent Pékin par l'une de ces diverses routes et qu'ils ont parcouru vingt-cinq milles, ils trouvent un relais de poste qui dans leur langue s'appelle *ianb*. À chaque relais, les messagers trouvent un palais très vaste et très beau, où ils sont logés ; ces logements disposent de très bons lits, équipés de beaux draps de soie, et de tout ce qui est nécessaire à des messagers ; si un roi y venait, ce logement lui conviendrait pleinement. J'ajoute qu'à ces relais les messagers trouvent bien quatre cents chevaux qui y demeurent en permanence, conformément à ce qu'a établi le Grand Khan, à la disposition des messagers qu'il envoie dans tel ou tel lieu.

Sachez que ces relais sont installés tous les vingt-cinq ou trente milles, et ce, sur toutes les routes principales qui vont jusqu'aux diverses provinces. Les messagers, dans chacun de ces relais, trouvent entre trois et quatre cents chevaux préparés à leur service, ainsi que de beaux palais tels que je vous les ai décrits, où ils sont richement logés. Il en va de même pour toutes les provinces et tous les royaumes du grand roi.

Lorsque les messagers se rendent dans des lieux écartés, où l'on ne trouve ni maisons ni logements, le grand roi a fait bâtir des relais avec palais et tout ce dont disposent les autres relais en matière de chevaux et d'équipements, mais les étapes entre eux sont plus longues, comptant trente-cinq milles, et parfois plus de quarante.

C'est ainsi que voyagent, pour toutes les destinations, les messagers du grand roi, ayant logements et chevaux pour chaque étape. Cela constitue bien la preuve de la suprême puissance du Grand Khan, jamais vue jusqu'ici chez nul empereur, nul roi, nul homme sur terre ; sachez en effet que plus de deux cent mille chevaux demeurent dans ces relais spécialement pour les messagers. Quant aux palais, ils sont plus de dix mille, disposant chacun de tous les riches équipements que je vous ai décrits : c'est une chose si extraordinaire et d'un tel coût qu'on a bien du mal à en rendre compte par écrit.

Je dois maintenant vous conter quelque chose que j'avais oublié et qui touche au sujet que je viens de traiter : c'est la vérité qu'entre chacun des relais, tous les trois milles, se trouve un hameau comprenant une quarantaine de maisons, où demeurent des hommes à pied, chargés eux aussi de porter les messages du grand roi, de la façon suivante. Ils portent une large ceinture garnie de sonnettes afin d'être entendus de très loin lorsqu'ils se déplacent. Ces messagers se déplacent toujours en courant mais ils ne parcourent pas plus de trois milles. Les autres, qui se trouvent à trois milles de leur point de départ, les entendent arriver de loin et se préparent à prendre le relais : dès que l'autre est arrivé, il saisit ce qu'il apporte ainsi qu'un petit papier que lui donne le greffier et il se met à courir pour accomplir les trois milles suivants comme l'avait fait le précédent. Je peux vous dire que de cette manière, le grand roi, grâce à ces hommes à pied, obtient en un jour et une nuit des nouvelles qui autrement mettraient dix jours à lui parvenir puisque ces hommes parcourent en un jour et une nuit un chemin de dix journées ; de même, en deux jours et deux nuits, ils apportent des nouvelles de vingt journées ; ainsi, il aurait des nouvelles de cent journées en dix jours et dix nuits. Je peux vous dire que ces mêmes messagers apportent souvent au seigneur des fruits en une journée au lieu de dix. Le grand roi exempte ces hommes de tout impôt et leur fait donner de l'argent.

Pour les chevaux dont je vous ai parlé, que l'on trouve en si grande quantité dans les relais à la disposition des messagers, je peux vous dire comment le grand roi en a réglé l'organisation. Il demande : « Qui est voisin de tel relais ? C'est telle ville. » Il fait alors calculer combien de chevaux ses habitants peuvent fournir pour les messagers. On lui dit : « cent » ; alors commandement leur est donné de donner cent chevaux au relais. Ensuite, il fait examiner combien de chevaux peuvent donner toutes les autres villes et châteaux, et commandement leur est donné de les fournir au relais. C'est de cette façon que sont organisés tous les relais, de sorte que le grand roi n'a rien à dépenser pour eux, à l'exception des relais des lieux écartés qu'il fait équiper de ses propres chevaux.

Je peux vous dire que, quand il est nécessaire que des messagers à cheval aillent immédiatement avertir le grand roi que tel pays ou tel baron est entré en rébellion ou l'informent de toute autre affaire urgente, ils chevauchent bien deux cents milles en une journée, voire deux cent cinquante milles, de la façon suivante. Quand un messager veut parcourir tant de milles en une journée et si rapidement, il se munit de la plaque de gerfaut, signe qu'il a une mission urgente à accomplir ; si les messagers sont deux, ils se déplacent depuis le lieu où ils se trouvent sur deux bons chevaux solides et rapides à la course. Ils s'entortillent le ventre et la tête dans des bandes et se lancent au galop aussi vite qu'ils le peuvent, jusqu'au prochain relais distant de vingt-cinq milles, où ils trouvent deux autres chevaux prêts, frais, reposés, et bons coureurs.

Aussitôt, ils les enfourchent, sans même prendre le moindre repos, se mettant aussitôt en route, sans s'arrêter de chevaucher jusqu'à l'autre relais, où ils trouvent de nouveaux chevaux préparés ; ainsi font-ils jusqu'au soir. C'est de cette manière que ces messagers peuvent parcourir deux cent cinquante milles pour apporter des nouvelles au grand roi, voire, quand c'est nécessaire, trois cents milles ; de tels messagers sont l'objet d'une très grande estime.

Laissons cette question des messagers, que nous avons traitée en détail ; maintenant, je vais vous parler de la générosité du grand roi à l'égard de ses sujets, dont il fait preuve deux fois par an.

L'aide que le Grand Khan fournit à ses sujets lorsqu'ils subissent des pertes en céréales ou en bétail

Sachez que le grand roi envoie ses messagers par toutes ses terres et ses royaumes afin de savoir si ses sujets ont subi des dommages quant à leurs récoltes, soit à cause des intempéries ou en raison des sauterelles ou pour un autre fléau. S'ils trouvent que certaines populations ont subi des dommages et que leurs récoltes ont été détruites, il les exempte de l'impôt qu'elles doivent payer chaque année, et il leur fait donner de ses propres récoltes, afin qu'elles les utilisent comme semence et comme nourriture. C'est là une grande preuve de générosité du seigneur.

C'est une mesure qu'il prend l'été, et l'hiver, il procède de même pour le bétail. En effet, si les messagers trouvent quelqu'un dont les bêtes sont mortes à cause d'une épidémie, le seigneur lui fait donner quelques-unes de ses bêtes, lui apporte son aide et l'exempte de l'impôt pour cette année. C'est ainsi que le grand roi fournit aide et soutien à ses sujets [...].

CHAPITRE C

Les arbres que le Grand Khan
fait planter le long des routes

Sachez que le Grand Khan a donné l'ordre de planter de deux pas en deux pas des arbres le long des routes principales où circulent les messagers, les marchands et les autres gens. Ces arbres sont si hauts qu'on les voit de loin. Le Grand Khan a pris cette mesure afin que les routes soient nettement dessinées et qu'on ne puisse s'égarer. On trouve en effet ces arbres le long des routes désertes et c'est un grand réconfort pour les marchands et pour les passants. Il y en a dans tous les royaumes et toutes les provinces [...].

Le Grand Khan fait amasser
et mettre en réserve de grandes quantités
de céréales pour secourir ses sujets

Sachez qu'il est vrai que, lorsque le grand roi voit que les récoltes en céréales sont très abondantes et qu'on en fait grand commerce, il en fait amasser une grande quantité qu'il fait mettre dans de vastes bâtiments et si bien tenir en réserve qu'elles se conservent très bien pendant trois ou quatre ans. Et comprenez qu'il fait réserve de toutes espèces de céréales, blé, orge, mil, riz, panic [1] et autres, le tout en très grande quantité. Quand il arrive que les céréales viennent à manquer et que se produit une grande disette, le grand roi en fait prendre sur ses réserves ; si la mesure se vend un besant, par exemple pour le blé, il en fait donner quatre. Et il en retire tant de ses greniers que tous pourront en recevoir. C'est ainsi que le grand roi se pourvoit afin d'éviter à ses sujets les disettes, et il agit ainsi pour toutes les terres qui sont sous sa domination.

Après vous avoir parlé de cela, je vous conterai comment le grand roi exerce la charité.

---

1. Panic : variété de millet, cultivée comme plante fourragère (nom commun : millet des oiseaux).

CHAPITRE CIV

Le Grand Khan
fait la charité aux pauvres

Après vous avoir dit comment le grand roi fait procéder à la distribution de céréales à ses sujets, je vais vous conter comment il fait la charité aux pauvres gens qui habitent Pékin. Il fait dresser la liste de beaucoup de familles pauvres et qui n'ont rien à manger – dans telle famille, il y aura six personnes, dans telle autre huit ou dix, ou plus, ou moins –, et il leur fait distribuer du blé ou d'autres céréales afin de les nourrir, et ce, en grande quantité. J'ajoute que tous ceux qui veulent recevoir du pain du Grand Khan à sa cour ne se heurtent jamais à un refus ; on en donne à tous ceux qui viennent. Sachez que chaque jour, il en vient plus de trente mille, et il en va ainsi toute l'année. C'est là une preuve de la grande bonté du seigneur qui a pitié de ses pauvres sujets et le peuple lui en est si reconnaissant qu'il l'adore comme un dieu.

Après vous avoir conté cela, nous vous parlerons d'autre chose et partirons de la ville de Pékin pour parcourir la Chine où se trouvent beaucoup de choses magnifiques.

Arrêt sur lecture 3

La longue histoire des Mongols

Le travail difficile de l'historien

Marco Polo brosse un rapide historique de l'Empire mongol, qui nous intéresse d'abord par les informations qu'il contient mais surtout par la déformation ou la présentation très tendancieuse qu'il nous fournit des événements.

L'historien a toujours une tâche difficile du fait qu'il doit reconstruire un passé dont il n'a pas été le témoin direct. Il doit donc mener une enquête, interroger des sources (qu'il s'agisse de personnes ou plus souvent de documents) qui comportent des lacunes et des imperfections. Ensuite, la mise en forme de cette documentation va l'amener le plus souvent à élaborer un récit pour raconter ce qui s'est passé, mais ce récit comporte toujours une part plus ou moins grande d'affabulation, afin de combler les trous de l'oubli ou de faire mieux comprendre au lecteur la cause des événements. Enfin, il est impossible d'écrire une histoire véritablement objective : l'historien a en effet bien du mal à ne pas projeter, dans sa reconstruction du passé, ses propres croyances, ses espoirs, ses convictions intimes.

Ajoutons que Marco Polo ne fait pas ici profession d'historien. Certes, il veut informer son public mais il veut surtout l'intéresser, lui plaire, le distraire. En outre, comme on va le voir, l'interprétation qu'il propose quant à l'histoire des Mongols est fortement marquée par la volonté de persuader son lecteur d'une vérité que tout son livre, en fait, ne cesse d'illustrer mais devant laquelle il sera nécessaire d'exercer notre esprit critique, nous efforçant de découvrir les contradictions internes au texte et comparant son témoignage à ceux d'autres voyageurs de la même époque, qui sont loin d'être totalement concordants.

Quelques données historiques

Comment naissent et se développent les empires ? – L'Empire fondé par les Mongols est bien digne d'être comparé à d'autres grands Empires qui marquent les moments importants de notre histoire : l'Empire grec d'Alexandre le Grand (IVe s. av. J.-C.), l'Empire romain (Ier s. av. J.-C. – IIIe s. ap. J.-C.), l'Empire conquis par les Arabes avec la diffusion de l'islam (VIIe s.). Il est toujours difficile d'expliquer complètement pourquoi, à un moment particulier, un peuple réussit à étendre sa domination sur ses voisins, proches ou plus lointains ; mais, dans le cas des Mongols, l'expansion remarquable de leur pouvoir demeure encore plus mystérieuse, même si certains facteurs – dont quelques-uns ont été bien mis en évidence par Marco Polo lui-même – permettent en partie de rendre compte du phénomène.

Le rôle déterminant de Gengis Khan – Les Mongols constituaient un groupement de tribus qui vivaient à l'origine dans la région baignée par les deux rivières, l'Onon et la Kérulen, puis ils occupèrent la Mongolie orientale; les contacts avec les tribus voisines étaient tour à tour faits d'alliances et de guerres. Avec l'accession au pouvoir de Gengis Khan (1167-1227), qui devient d'abord chef des Mongols, puis Khan de tous les peuples qui se rallient à eux (vers 1190), et enfin Grand Khan (1206), ce peuple acquiert une puissance considérable : elle va lui permettre de conquérir, en un laps de temps extrêmement court, un grand nombre de territoires, aussi bien vers l'ouest que vers l'est et le sud.

Donnons quelques dates afin d'illustrer la rapidité de cette expansion. Après s'être soumis les peuples de l'Asie centrale, Gengis Khan attaque la Chine du Nord, annexe la Mandchourie et prend Pékin en 1215; il envahit la Corée en 1218. Vers l'ouest, il envoie ses armées contre le Kharezm, prend Boukhara et Samarcande (1220) et ravage la Perse.

Rappelons que le Kharezm est l'Empire turco-iranien qui s'étendait à l'est de la mer Caspienne et au sud de la mer d'Aral, de part et d'autre du fleuve Amou-Darya.

Les Tartares font trembler l'Europe – L'extension vers l'ouest va connaître de nouvelles étapes décisives avec les campagnes menées par le successeur de Gengis Khan, Œgœdeï, à partir de 1230. La Géorgie est occupée en 1237, la Russie, la Pologne et la Hongrie sont envahies. Moscou tombe en 1238, Kiev en 1240, Cracovie et Budapest en 1241. Les Mongols arrivent aux portes de Vienne à la fin de cette même année; en 1242, ils sont sur l'Adriatique et s'approchent de l'Italie. Ils menacent donc directement l'Europe.

Énorme est l'inquiétude déclenchée par la soudaine venue de ce peuple inconnu que l'on ne tarde pas à assimiler aux peuples de Gog et Magog dont parle la Bible pour annoncer la fin du monde ! C'est pourquoi on les baptise « Tartares » en déformant doublement leur nom : d'abord, les Tatars sont une tribu vaincue par les Mongols au début de leur expansion et donc ne se confondent pas avec eux ; ensuite, comme on les prend pour un peuple surgi de l'Enfer, on leur donne le nom d'un des fleuves qui coulent en Enfer, selon la mythologie antique : le Tartare.

Les successeurs de Gengis Khan – Après cette fulgurante expansion, marquée d'hécatombes et de destructions innombrables, une nouvelle phase de l'histoire mongole commence. D'abord, à partir de la mort du deuxième Grand Khan, les conquêtes vers l'ouest vont peu à peu cesser. Mais c'est surtout avec l'avènement de Khoubilaï en 1260 que l'empire se transforme radicalement : le Grand Khan transfère sa capitale de Karakoroum à Pékin ; en s'installant en Chine, il décide d'assimiler la civilisation chinoise, riche et raffinée, mesurant tous les avantages qu'il pourra tirer de cette intégration. Il n'en poursuit pas moins ses conquêtes, en particulier en Chine du Sud (Mangi), en Birmanie et en Indochine.

C'est donc surtout cette période que va évoquer Marco Polo, période où les Mongols atteignent le faîte de leur puissance et où ils parviennent, en partie sans doute grâce à la personnalité de Khoubilaï, à conjuguer leur puissance militaire avec les énormes atouts qu'offre l'antique civilisation chinoise, tant sur le plan économique que sur le plan culturel.

Comment Marco Polo raconte l'Histoire ?

La fondation et le développement de l'Empire mongol – Notons d'abord que la chronologie des événements reste assez floue ; les dates fournies sont peu nombreuses : 1187 pour l'élection de Gengis Khan, 1200 pour la bataille contre le Prêtre Jean. Ces deux dates semblent assez proches de la réalité historique ; en revanche, l'indication du chap. LXVIII concernant la mort de Gengis Khan anticipe de vingt et un ans cet événement ! Quant à la liste des successeurs, elle comprend des erreurs. Voici leurs noms : Œgœdeï est le deuxième (1229-1241), Guyuk le troisième (1246-1248), Mongka le quatrième (1251-1259) et Khoubilaï le cinquième (1260-1294).

Le portrait de Gengis Khan (LXV) est un véritable panégyrique (éloge outré). Certes, ce personnage fut un grand chef, mais il n'est guère vraisemblable que le pouvoir de plus en plus grand qu'il acquit fût redevable à son seul prestige, comme l'affirme ici Marco Polo. Son insistance sur l'aspect pacifique de ses conquêtes mérite d'être accueillie avec un certain esprit critique. Quels sont les détails qui vous paraissent à cet égard peu réalistes ?

La bataille contre le Prêtre Jean – Ce récit met en scène une figure légendaire. Une rumeur s'était répandue en Europe dès le début du XIIe siècle, selon laquelle il existait en Orient un roi extrêmement puissant et riche, qui était chrétien. Cette rumeur contenait malgré tout un peu de vérité, car certaines tribus d'Asie centrale avaient été converties au christianisme (en particulier les Naïmans et les Ouïgours) et c'est certainement la victoire des Mongols contre ces tribus voisines qui est ici magnifiée par le récit de Marco Polo.

Remarquez la large place qu'il accorde à cette bataille. Souvenons-nous que la société, à cette époque, liait très étroitement (ou même confondait) noblesse et chevalerie. Marco Polo cherche donc à plaire à son public (composé en partie de chevaliers) qui aime entendre des récits de bataille. Comme il n'a bien sûr pas assisté à l'événement et que les témoins directs étaient morts, il est évident que lui ou Rustichello (qui met par écrit le texte) « brode » à partir des quelques informations qu'il a pu avoir, nous fournissant un récit plus proche du roman que de l'histoire.

Dans les motifs qu'il donne à la guerre, tous les torts sont donnés au Prêtre Jean. Effrayé par leur nombre, il tente de diviser les Mongols puis réagit avec orgueil et arrogance aux demandes et aux menaces de Gengis Khan. Comme dans toute épopée (voyez les westerns!), les bons s'opposent aux méchants. La requête formulée par Gengis Khan est elle-même de type romanesque : il veut épouser sa fille…

Les procédés employés révèlent clairement la part importante de l'imagination du conteur. Ainsi, pour rendre les personnages plus vivants, il les fait parler et s'efforce de suggérer quelques traits de leur caractère. Quels sont ceux qui vous semblent le mieux définir Gengis Khan et le Prêtre Jean?

Ce sont surtout les préparatifs de la bataille qui sont décrits, en particulier le rôle des chrétiens. Vous voyez ici comment Marco Polo saisit encore une occasion pour montrer la collaboration fructueuse entre chrétiens et Mongols, au détriment des Sarrasins! Ce détail est d'autant plus curieux que la pratique de l'astrologie est tout à fait contraire au dogme chrétien.

Cette évocation d'un passé glorieux permet à Marco Polo d'annoncer la suite de son livre, tout en ménageant chez son lecteur un effet d'attente – ce que montre bien la phrase du chapitre LXIX qui présente Khoubilaï comme celui qui, à lui tout seul, a plus de pouvoir que tous les Grands Khans réunis qui l'ont précédé!

Le mode de vie des Mongols

Le nomadisme

Conformément à la présentation qu'en fait Marco Polo (chap. LXIX), les Mongols furent d'abord un peuple de pasteurs nomades, se déplaçant au gré des saisons dans les vastes étendues de l'Asie centrale afin de trouver pour leurs troupeaux les pâturages les plus abondants. Le climat de ces régions est particulièrement rude (étés très chauds, hivers très secs et froids) mais ce peuple a su aménager au mieux ces difficiles conditions matérielles pour les adapter à son existence nomade. Voyez par exemple ce que dit Marco Polo au sujet de leurs « maisons portables », les *yourtes*, et la description plus précise qu'en donne un voyageur contemporain de Marco Polo, Guillaume de Rubrouck, dans Textes à l'appui.

Quand les Mongols seront chassés de Chine en 1368, c'est-à-dire exactement soixante-dix ans après la rédaction du livre de Marco Polo, ils retourneront vivre dans les steppes de l'Asie centrale et renoueront avec leur mode de vie nomade, qu'ils conserveront sans grand changement jusqu'au xxe siècle. Ce n'est guère que récemment que ce mode de vie tend à disparaître, en particulier sous la pression chinoise qui s'efforce de sédentariser ces populations. Vous pourriez voir à ce propos le beau film *Urga* de Nikita Mikhalkov (1991), qui fournit un très intéressant témoignage sur cette société, ses archaïsmes et ses évolutions.

Les coutumes des Mongols

Elles sont pour la plupart étroitement liées à ces rudes conditions de vie qu'implique le nomadisme. Ainsi, leur nourriture se compose avant tout de ce qu'ils tirent de leurs bêtes, la viande et le lait. De même, la femme a une part active dans l'économie familiale, comme le souligne Marco Polo. Mais derrière son apparence objective, son petit exposé révèle ses jugements : admiratif par moments, il semble aussi choqué par certaines coutumes qui ne sont décidément pas les siennes, ainsi le fait de manger toute viande, y compris celle des marmottes, des chiens et des chevaux !

Tentez à votre tour de repérer quelques appréciations, laudatives ou critiques, qui nous aident à mieux connaître le voyageur.

Les croyances religieuses des Mongols

Ces croyances, telles que Marco Polo les expose dans le chapitre LXX, nous montrent qu'ils ont une conception anthropomorphique (du grec *anthropos* « homme » et *morphê* « forme ») de la divinité, c'est-à-dire qu'ils prêtent à leur dieu un aspect et un comportement humains. Cela explique la représentation qu'ils leur donnent – les figurines de feutre qu'ils placent à l'intérieur des *yourtes* – ou le rite qu'ils observent avant de manger. En outre, leur conception de l'au-delà les conduit à croire qu'après la mort, l'homme gagne un autre monde qui présente beaucoup de traits communs avec le monde terrestre.

Vous montrerez comment cette conception explique les deux curieux rites qui sont ici contés : les rites funéraires observés pour l'enterrement des empereurs (chap. LXIX), et les mariages posthumes des enfants (fin du chap. LXX).

Les activités guerrières

De redoutables guerriers – Le compte rendu détaillé que nous fournit Marco Polo concernant l'art militaire des Mongols (chap. LXX)

nous permet de comprendre en partie les extra-ordinaires conquêtes qu'ils ont faites et qui ont marqué la fondation et l'expansion de leur empire. Leurs armes principales sont l'arc et les flèches qu'ils savaient manier avec une dextérité et une rapidité redoutables ; on les désigna souvent comme le peuple des archers. Habitués dès l'enfance à monter à cheval, ils étaient en outre d'excellents cavaliers. Mais leur qualité principale fut, de l'avis de tous, l'endurance. Marco Polo l'illustre grâce à quelques détails pittoresques que vous relèverez avec soin.

Aujourd'hui, le maniement de l'arc reste l'apanage des Mongols.

Une remarquable organisation – On s'accorde à vanter leur esprit de corps, et l'obéissance aux ordres donnés ; ces qualités sont mises en valeur par l'organisation pyramidale des armées, bien décrite par Marco Polo, qui permet de faire circuler rapidement les ordres et de créer des petites unités très soudées.

Des tactiques très efficaces – Leurs raids, souvent lancés à des milliers de kilomètres de leur patrie d'origine, exigeaient qu'à l'audace soit alliée la prudence, comme le suggère le recours systématique aux éclaireurs. Leurs façons de combattre se distinguaient fondamentalement du combat chevaleresque, en particulier par l'emploi de la ruse (fuite simulée, attaque de dos…) – voyez d'ailleurs la comparaison avec les chiens faite par Marco Polo –, ce qui fonda leur supériorité.

Marco Polo conclut cette partie consacrée à l'histoire et au mode de vie des Mongols en évoquant le profond changement qui est intervenu chez les Mongols qui vivent maintenant en Chine (Catay) ou en Perse (« au Levant »). En effet, en l'espace de quelques décennies, l'extrême raffinement de la vie de cour va se substituer à la rudesse de la vie pastorale.

Le Grand Khan et sa cour

Cette partie représente le cœur du livre de Marco Polo, comme le suggère d'ailleurs sa place au centre de l'œuvre, et on peut dire que la description elle-même trouve son principe d'organisation dans l'évocation du personnage du Grand Khan et de sa cour, d'abord dans le plan qui règle l'ensemble de ses chapitres, mais aussi dans l'ordre que suit la description dans de nombreuses séquences.

La figure centrale du Grand Khan

C'est lui qui anime la description – Jusqu'ici, la description du monde avait été organisée en suivant les déplacements d'un voyageur anonyme qui souvent pouvait se confondre avec le voyageur authentique que fut Marco Polo. Mais ici, ce sont les déplacements réguliers qu'effectue le Grand Khan, au cours de l'année, d'une de ses résidences à l'autre, qui vont rythmer la description.

Son aspect physique – Les indications fournies ici par Marco Polo sont bien décevantes ! Ni petit ni grand, ni trop maigre ni trop gras, c'est la mesure qui caractérise les traits du Grand Khan. Cette mesure est avant tout un idéal (déjà chez les Grecs dans l'Antiquité et aussi pour tout le Moyen Âge), signe d'un caractère défini lui-même par l'équilibre et la sagesse ennemie des excès. Mais il est difficile d'imaginer le personnage à partir de telles données qui vont même jusqu'à gommer tous les traits particuliers au type physique mongol! Retrouvez le petit détail qui contredit carrément ce type.

Pour excuser quelque peu Marco Polo à ce sujet, il faut savoir que le portrait, tant en littérature que dans les arts figuratifs (peinture ou sculpture), n'est pas réaliste aux XII-XIIIᵉ siècles. C'est seulement à partir de la fin du Moyen Âge qu'on cherche à fixer les traits particuliers d'un individu et ce qui le caractérise en propre dans le portrait qu'on en dresse.

Ses femmes – Entre femmes légitimes et concubines, voilà certes une vie amoureuse bien remplie, et surtout rigoureusement organisée! Ce type de renseignements nous amène à deux remarques intéressantes.

D'abord, la notion de vie privée n'existait pas vraiment à cette époque et il était beaucoup plus naturel qu'aujourd'hui de connaître ce genre de détails concernant les rois et les princes (alors que maintenant, seule la presse à scandales dévoile l'intimité des secrets d'alcôve).

Ensuite, on peut voir que, dans la représentation des puissants, le pouvoir du chef est souvent associé au grand nombre de femmes qu'il est capable de séduire. Nous trouverons d'autres exemples de ce trait du pouvoir dans le livre de Marco Polo – l'actualité semblerait en montrer la permanence…

La cour : le faste et les rituels

Les palais du Grand Khan – Les trois palais du Grand Khan (chap. LXXV et LXXXIV) frappent par leur richesse, mais ils ont chacun leur originalité. On relève en particulier l'émerveillement de notre voyageur devant le deuxième, le palais démontable, souvenir de la *yourte* mongole, mais le modèle est ici présenté dans sa version la plus luxueuse. Leur caractéristique commune est d'associer étroitement la nature des parcs et l'artifice de la construction ; ainsi les salles sont décorées d'oiseaux et de bêtes tandis que, dehors, la nature est disciplinée par la main de l'homme. Vous en trouvez un exemple tout à fait remarquable avec le Mont Vert des jardins du palais de Pékin (fin du chap. LXXXIV).

Les sorciers – Voilà de bien étonnants tours de magie (LXXV), qui laissent notre voyageur fasciné : s'il ne doute pas de ce qu'il voit, de tels pouvoirs sentent selon lui le soufre et attestent la participation du diable.

L'abondance et le luxe – La description de Marco Polo s'attache à mettre en évidence le faste de la cour, en particulier celui qui est déployé lors des fêtes. Ici encore, rappelez-vous le type de public auquel s'adresse Marco Polo. La littérature des romans de chevalerie, qui mettait en scène le roi Arthur et sa cour, connaissait alors un vif succès. On relève plus d'un trait commun entre la cour d'Arthur et celle de Khoubilaï : le luxe des vêtements, l'importance des fêtes, le rôle de la *largesse* (générosité) du seigneur (voir la cour d'Arthur dans Textes à l'appui). Jusqu'à la couleur blanche ! Toutefois, dans la tradition celtique, le blanc signifie le merveilleux et est souvent le signe de l'autre monde (ex. une biche blanche). Pouvez-vous préciser sa signification pour les Mongols ?

Le cérémonial – Marco Polo s'émerveille avant tout devant l'extrême minutie qui règle le déroulement des cérémonies, qui réunissent pourtant un nombre mirobolant de personnes. Observez par exemple comment sont organisés le service des boissons et le rituel qui l'accompagne (LXXXVI) ou le défilé qui a lieu pour la fête du Nouvel An (LXXXIX). Mais le plus étonnant ici est de voir que la description elle-même est très rigoureusement agencée : elle nous montre que la structure spatiale reflète parfaitement la hiérarchie de la cour du Grand Khan. Regardez par exemple la place occupée par chacun lors des repas (chap. LXXXVI).

Une organisation très minutieuse de l'empire

Le faste et le plaisir pourraient nous amener à concevoir ce royaume comme un royaume de fantaisie, une sorte de pays rêvé ; ce serait négliger l'attention très grande que porte Marco Polo à ce qui concerne la gestion matérielle du pouvoir. Il nous montre que le Grand Khan, qui a profité en cela du haut degré de développement de la société chinoise, a lui-même organisé son empire avec une très grande efficacité, sachant en particulier maîtriser l'espace et les relations d'une région à l'autre, grâce à des services qui suscitent notre admiration. Considérons plus attentivement les principaux services.

Le service des objets trouvés – Petit détail, semble-t-il, dans un tel ensemble, mais significatif du respect de la propriété de chacun et bien sûr d'une société hyper-ordonnée, où rien ne se perd (chap. CICIV) ! Ce service fonctionne en particulier lors des déplacements de la cour (chasse, guerre) qui mobilisent de véritables foules.

Le papier-monnaie – Il est fabriqué avec des fibres de mûrier (arbre de ressources pour les Chinois, puisque ses feuilles nourrissent les vers à soie). On voit ses multiples avantages (léger, très maniable, découpé avec des formats variables selon sa valeur) et son petit inconvénient par rapport à la monnaie sonnante et trébuchante (il se

Le Livre des Merveilles, ou *Le Devisement du monde* comme on voudra l'appeler, a fait l'objet de magnifiques éditions enluminées, comme celle-ci datant du XVᵉ siècle. Le Grand Khan vient ici prélever les taxes sur les produits marchands.

déchire). Les Chinois s'en servaient déjà avant la venue de Khoubilaï, tandis que les Européens ne l'utilisèrent que plus tard, d'où l'étonnement de Marco Polo.

Cet étonnement amusé est bien rendu par l'expression utilisée pour qualifier le Grand Khan : c'est « un parfait alchimiste ». Au Moyen Âge, l'alchimiste était censé en effet connaître le secret de fabrication de l'or. Or que fait Khoubilaï ? Contre du vulgaire papier, il obtient de l'or, de l'argent et des pierres précieuses… puisque ses sujets sont contraints de lui apporter toutes leurs richesses en échange de quoi ils sont payés en morceaux de papier !

Outre l'humour, on note que Marco Polo fournit ici une première explication très rationnelle de la fabuleuse richesse amassée par le Grand Khan. On verra d'autres sources dans la quatrième partie.

La poste – La bonne gestion de ce vaste empire suppose des communications nombreuses et rapides entre la capitale et tous les points du royaume. C'est ce qu'a bien compris Khoubilaï en soignant le réseau des routes (vous relèverez les détails qui montrent ici encore l'ingéniosité du Grand Khan) et en organisant un « service postal » à trois vitesses, assuré par des messagers circulant à pied ou à cheval et se relayant grâce aux confortables étapes installées tout au long des routes.

Pour bien mesurer ici encore l'émerveillement du voyageur occidental, il faut savoir qu'en Europe, les puissants – rois et princes – avaient bien quelques messagers, mais ils répondaient comme ils pouvaient aux nécessités du moment sans bénéficier du réseau de relais extrêmement serré et efficace que Marco Polo nous dépeint ici, de sorte que les nouvelles mettaient beaucoup de temps à circuler. Au XVIe siècle, par exemple, des nouvelles importantes mettaient environ un mois pour circuler entre les grandes villes d'Europe : de Venise à Paris, ou de Madrid à Lyon.

L'aide du Grand Khan à ses sujets

Ici encore, les services instaurés par le Grand Khan anticipent largement sur nos institutions modernes d'assistance et d'indemnisations ! Trois sont ici évoqués par Marco Polo. L'aide ponctuelle fournie à ceux dont les récoltes ou le bétail ont été détruits par des fléaux naturels, la lutte contre les disettes grâce à un fonds de réserves permettant de rééquilibrer les variations de la production selon les années, l'assistance aux pauvres. Terminer l'évocation du Grand Khan par l'énumération de tels services permet en même temps de compléter et de parachever l'idéal moral qu'il incarne dans toute cette partie en vantant à la fois ses qualités de chef (il sait prévoir, il se tient informé de tout ce qui se passe aux quatre coins du royaume) et sa générosité (souci du bien-être commun, charité).

à vous...

1 – Synthèse – Faites le découpage des chapitres concernant le Grand Khan et sa cour en repérant les différentes indications données sur l'établissement de son emploi du temps annuel (lieux de résidence, date et durée de séjour, activités principales, fêtes).

2 – Dessiner – Faites un schéma du palais de Pékin, d'après les indications fournies dans le chap. LXXXIV.

3 – Justifier – Après avoir parlé de la vie nomade des Mongols et avant de décrire leur vie en Chine, Marco Polo parle de ce changement comme d'un « abâtardissement » (chap. LXX). Justifiez ce terme.

4 – Enquêter – Les couleurs ont très souvent une valeur symbolique pour les peuples (voyez le blanc pour les Mongols). Donnez quelques exemples de cette signification en rapport avec des rites précis, pour notre société et pour d'autres qui ont, par exemple, une religion différente. Faites une petite enquête, en consultant un dictionnaire des symboles, pour quelques couleurs fondamentales (rouge, noir, jaune, etc.).

5 – Rédiger – Choisissez une des fêtes de la cour de Khoubilaï évoquées par Marco Polo et racontez-la à la première personne du singulier, en tentant de revivre l'émerveillement du Vénitien devant la splendeur du décor, la vivacité des couleurs, le grand

nombre des présents, la précision de l'organisation…, sans oublier le plaisir des sens !

6 – Réfléchir – En quoi le tableau de l'empire de Khoubilaï, tel que le brosse ici Marco Polo, ressemble-t-il à une utopie, à un lieu idéal ?

Textes à l'appui

**Deux témoignages sur les Mongols
par des voyageurs contemporains de Marco Polo**

Deux franciscains se rendirent auprès du Grand Khan avant les Polo, au lendemain des dévastations commises par les Mongols en Europe de l'Est, alors que l'Occident tremblait de peur sous la menace d'invasions qui ne cessaient de se rapprocher.

Voici ce que dit le premier, Jean de Plan-Carpin, envoyé en 1245 par le pape et ayant traversé la Russie peu après le passage des armées mongoles.

« Ayant vaincu ce pays, [les Mongols] marchèrent contre la Russie et firent un grand carnage dans le pays russe, détruisirent les villes et les bourgs, tuèrent les gens et assiégèrent Kiov, métropole de la Russie ; après l'avoir longtemps assiégée, ils la prirent et tuèrent ses habitants. Aussi, quand nous passions par ce pays, nous trouvions des crânes et des ossements innombrables dans la campagne. Car cette ville avait été fort grande et extrêmement peuplée, et la voilà maintenant presque anéantie. C'est à peine s'il y a deux cents maisons et les gens en sont tenus dans une rigoureuse servitude. De là, les Tartares avancèrent en combattant et dévastèrent toute la Russie. **»**

Jean de Plan-Carpin, *Histoire des Mongols*,
Éditions Maisonneuve et Larose, 1965.

Le second, Guillaume de Rubrouck, part huit ans plus tard, au moment où les campagnes de guerre vers l'ouest connaissent un ralentissement. S'il reste encore très méfiant à l'égard de ce peuple belliqueux, il ne cache pas son admiration devant l'organisation de la société mongole et en particulier devant leurs maisons mobiles, les *yourtes*.

« La maison où ils dorment, ils l'édifient sur une base circulaire de baguettes tressées ; la charpente de la maison est faite de baguettes qui convergent au sommet en un orifice circulaire d'où sort un conduit analogue à une cheminée ; ils la couvrent de feutre blanc qu'ils enduisent assez fréquemment de chaux ou de terre blanche et de poudre d'os afin d'aviver l'éclat de sa blancheur. Parfois aussi, ils usent de feutre noir.

Le feutre qui entoure l'orifice supérieur est décoré de dessins d'une belle variété. Devant la porte ils suspendent de même une pièce de feutre ouvré, historié avec art. Ils cousent, feutre sur feutre, des motifs colorés qui représentent vignes, arbres, oiseaux et bêtes. Ces maisons, ils les font si vastes qu'elles atteignent parfois trente pieds de large. Moi-même, une fois, j'en ai mesuré une : entre les ornières laissées par son chariot il y avait vingt pieds et la maison posée sur le chariot dépassait bien de cinq pieds de chaque côté. J'ai compté, attelés à un même chariot, jusqu'à vingt-deux bœufs qui tiraient une maison : onze de front et onze autres devant eux. L'essieu du chariot était grand comme un mât de navire, et un seul homme était debout sur le chariot, devant le seuil de la maison, pour mener ces bœufs.

En outre, ils fabriquent avec de fines baguettes tressées des caisses quadrangulaires qui ont la taille d'un grand coffre, entièrement recouvert d'un couvercle bombé de même facture. Ils y pratiquent une petite ouverture à l'extrémité antérieure. Puis ils couvrent ce coffre – ou maisonnette – de feutre noir enduit de suif ou de lait de brebis pour le protéger de la pluie et l'ornent comme leurs maisons d'un décor par application ou de broderies multicolores. Dans ces coffres ils mettent tous leurs ustensiles et leur trésor. Ils les lient solidement sur des chariots élevés que tirent des chameaux et qui sont conçus pour passer les gués. Ils ne les descendent jamais des chariots. Lorsqu'ils arrêtent leurs maisons d'habitation, ils en orientent toujours la porte vers le sud, et, ensuite, ils placent les chariots à coffres de part et d'autre de la maison à un demi-jet de pierre ; de telle sorte que la maison se trouve entre deux rangs de chariots comme entre deux murs.

Les femmes se font faire de très beaux chariots que je ne pourrais vous décrire qu'avec une peinture ; bien plus, je voudrais vous les peindre tous, si je savais peindre ! **»**

Guillaume de Rubrouck, *Voyage dans l'Empire mongol*,
Éditions Payot, 1985.

Khoubilaï et le roi Arthur

Le public auquel s'adresse Marco Polo était familier des romans de chevalerie qui célébraient le faste de la cour du roi Arthur et les exploits de ses chevaliers. Tout cela n'était certes que fiction, mais justement l'évocation de la réalité observée par le Vénitien plaisait d'autant plus qu'elle rejoignait la fiction arthurienne.

Un bon exemple de cette dernière nous est donné par un extrait du roman de Chrétien de Troyes, *Érec et Énide*, contant la coutume de la chasse au Blanc Cerf.

« Au jour de Pâques, au temps nouveau, le roi Arthur tint sa cour en son château de Caradigan. Jamais on n'avait vu si riche cour avec tant de bons chevaliers, hardis, courageux et fiers, tant de nobles dames et demoiselles filles de rois. Avant de donner congé à l'assemblée, le roi annonça qu'il voulait chasser le Blanc Cerf pour faire revivre la coutume. Cela ne plut guère à monseigneur Gauvain. Dès qu'il entendit les paroles du roi :

« Sire, dit-il, de cette chasse nul ne vous saura gré ni grâce. Nous savons tous que celui qui occit le Blanc Cerf a droit de donner un baiser à la plus belle des jeunes filles de votre cour. Respecter un tel usage peut être l'occasion d'un grand trouble, car il est bien ici cinq cents demoiselles de haut parage, toutes filles de rois belles et sages. Chacune a pour ami un chevalier. Il prétendra – à tort ou à droit – que son amie est la plus belle et la plus gente.

– Je le sais bien, répondit le roi, mais je ne changerai rien à ce que j'ai dit. Parole de roi ne doit être contredite. Demain matin nous partirons tous chasser le Blanc Cerf dans la forêt aventureuse. Cette chasse sera très merveilleuse. » **»**

Chrétien de Troyes, *Érec et Énide*, vers 1260.

QUATRIÈME PARTIE

Description de la Chine

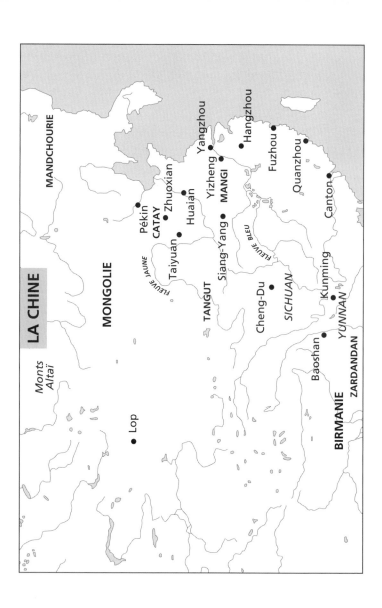

LA CHINE

Monts Altaï

MANDCHOURIE

MONGOLIE

Pékin
CATAY
Zhuoxian
Huaian
Taiyuan
FLEUVE JAUNE
TANGUT
Siang-Yang
Yizheng
Yangzhou
Hangzhou
Fuzhou
Quanzhou
MANGI
FLEUVE BLEU
Cheng-Du
SICHUAN
Canton
Kunming
YUNNAN
Baoshan
ZARDANDAN
BIRMANIE

Lop

Ici commence la description
du grand pays du Catay. Le fleuve Sang-Kan

Sachez que le grand roi envoya Messire Marco comme messager vers l'ouest. Il partit de Pékin et voyagea pendant bien quatre mois en direction de l'ouest. Nous allons donc vous raconter ce qu'il vit en chemin à l'aller et au retour

Quand on part de la ville de Pékin et qu'on parcourt dix milles, on trouve un grand fleuve qui est appelé Sang-Kan, qui va jusqu'à la mer océane et sur lequel circulent de nombreux marchands avec leurs marchandises. Au-dessus de ce fleuve, il y a un très beau pont de pierre, qui n'a pas son pareil en beauté dans le monde entier. Voici comment il est fait.

Je peux vous dire qu'il a bien trois cents pas de long et huit de large : dix cavaliers peuvent bien y passer de front. Il a vingt-quatre arches et vingt-quatre piliers dans l'eau et il est tout de marbre bis, très bien ouvragé et disposé. De chaque côté du pont, il y a un mur fait de tables de marbre et de colonnes, de la manière suivante. À l'entrée du pont se dresse une colonne de marbre, qui repose sur un lion de marbre et qui est surmontée d'un second lion très beau, grand et bien fait. Distante d'un pas et demi de cette colonne, il y en a une seconde, exactement comme la première, avec deux lions. L'espace entre chaque colonne est clos par une table de marbre bis, afin que les gens ne puissent pas tomber dans l'eau, et ainsi est-il fait sur toute sa longueur, de sorte que c'est une chose magnifique à voir.

Après avoir décrit ce beau pont, nous vous parlerons de choses nouvelles.

La grande ville de Zhuoxian

Quand on s'éloigne de ce pont et qu'on a parcouru trente milles en direction de l'ouest, traversant toujours de beaux pâturages, des vignes et des champs, on trouve une grande et belle ville qui s'appelle Zhuoxian. Il y a beaucoup de monastères d'idolâtres. Les habitants vivent de commerce et d'artisanat; ils font des draps de soie et d'or et du beau cendal[1]. Il y a de nombreuses auberges pour loger les voyageurs.

Quand on a quitté cette ville et qu'on a parcouru un mille, on trouve deux voies, l'une en direction de l'ouest et l'autre vers le sud-est : celle de l'ouest est le chemin du Catay et celle du sud-est va vers le grand pays du Mangi. Et sachez que l'on chevauche ainsi par le pays du Catay pendant dix journées, trouvant sur la voie beaucoup de belles villes et de beaux bourgs, qui abondent en marchandises et en produits d'artisanat, ainsi que de beaux champs et de belles vignes. Il n'y a rien d'autre digne d'être mentionné. Nous laisserons donc cette région et vous parlerons d'un royaume qui s'appelle Taiyuan.

Le royaume de Taiyuan

Quand on a chevauché dix journées après être parti de Zhuoxian, on trouve le royaume de Taiyuan. La capitale du pays porte aussi ce nom ; elle est grande et belle, et on y fait beaucoup de commerce et d'artisanat ; en effet, on y fabrique en grande quantité les équipements nécessaires à l'armée du grand roi.

1. Cendal : étoffe de soie, comparable au taffetas.

Autour, il y a beaucoup de vignes, dont on tire une grande quantité de vin ; dans tout le pays de Catay, le vin n'est produit que dans cette ville, d'où on l'envoie par toute la province. Il y a aussi de la soie en très grande quantité, car ils ont des mûriers et des vers à soie en très grand nombre […].

Le grand pays de Cheng-Du

Quand on a traversé pendant vingt journées les montagnes en se dirigeant vers l'ouest, on trouve une plaine et un pays voisinant avec la frontière du Mangi, qui est appelé Cheng-Du. La ville principale porte le même nom ; elle était jadis grande et réputée, gouvernée par des rois riches et puissants ; elle a bien vingt milles de circonférence. Mais, actuellement, elle est faite de la manière suivante. C'est la vérité que le roi de ce pays, à sa mort, laissa trois fils et partagea donc cette grande ville en trois parties ; chaque partie est fermée d'un mur et toutes les trois sont à l'intérieur des murs de la grande ville ; je peux vous dire que les trois fils de ce roi furent eux-mêmes rois, chacun ayant sa terre et un grand trésor à dépenser car leur père était très puissant et riche. Quand le Grand Khan s'empara de ce royaume, il déshérita ces trois fils et occupa le trône.

Sachez qu'au milieu de la ville coule un très grand fleuve, où l'on pêche beaucoup de poissons ; il est large d'un demi-mille, assez profond et si long qu'il va jusqu'à la mer océane, qui est à une distance de quatre-vingts ou cent journées ; il est appelé le fleuve Bleu. Il est bordé par une innombrable quantité de villes et de bourgs. On y trouve une telle multitude de bateaux qu'on ne pourrait le croire à moins de le voir de ses propres yeux. De même, la multitude et l'abondance des marchandises que les marchands portent en descendant ou en remontant le fleuve sont telles que c'est à peine croyable. Le fleuve est si large qu'il ressemble davantage à une mer. Je vais maintenant vous parler d'un pont qui passe au-dessus de ce fleuve à l'intérieur de la ville.

C'est un pont tout en pierre, large de huit pas au moins et long d'un demi-mille, c'est-à-dire de la largeur du fleuve telle que je vous l'ai indiquée. Tout le long du pont, sur chaque côté, des colonnes de marbre soutiennent le toit du pont ; je peux en effet vous dire que le pont est couvert d'un très beau toit de bois, décoré de riches peintures. Il y a aussi sur ce pont beaucoup de maisonnettes, où se fait beaucoup de commerce et d'artisanat, mais ce sont des baraques de bois que l'on amène le matin et que l'on enlève le soir. Il y a encore sur ce pont les douaniers du grand roi, qui reçoivent les impôts pour le seigneur, c'est-à-dire la taxe perçue pour le droit de vendre des marchandises sur ce pont ; je vous affirme que ces taxes rapportent bien mille besants d'or.

Les habitants sont tous idolâtres.

Quand on quitte cette ville, on chevauche cinq journées par plaines et vallées, et l'on trouve de nombreux bourgs et hameaux. Les hommes vivent des bénéfices de la terre. Il y a beaucoup de bêtes sauvages, lions, ours et autres. Quand on a parcouru cinq journées, on trouve un pays très endommagé qui s'appelle Tibet[1], dont nous allons parler ci-dessous.

CHAPITRE CXV

Le pays du Tibet

Au bout des cinq journées que je vous ai dites, on entre dans un pays très endommagé, car Mongka l'a détruit au cours de la guerre. Il y a beaucoup de villes, de bourgs et de hameaux tout en ruine.

On trouve des bambous d'une longueur et d'une grosseur extraordinaires : ils ont en effet trois paumes de circonférence et quinze pas de long ; d'un nœud à l'autre, il y a bien trois paumes. Je peux vous dire que les marchands et autres voyageurs qui circulent de nuit dans cette région prennent ces bambous et font du

1. Tibet : il ne s'agit pas du Tibet actuel, mais de la partie montagneuse du Sichuan.

feu avec, car lorsqu'ils brûlent, ils produisent un si grand fracas et des craquements si bruyants que les lions, les ours et les autres bêtes sauvages en ont grand peur et s'enfuient aussi vite qu'ils le peuvent ; ils ne s'approcheraient pour rien au monde du feu. Les hommes font un tel feu pour protéger leurs bêtes des animaux sauvages qui pullulent dans la région et dans le pays. Je vais vous expliquer comment les craquements de ces bambous retentissent très loin et comment ils suscitent une grande frayeur.

Sachez que l'on prend ces bambous verts et qu'on les met dans un feu de bois ; quand ils sont restés un peu de temps dans ce grand feu, ils se tordent et se fendent par le milieu et produisent alors de si forts craquements qu'on peut bien les entendre la nuit à dix milles à la ronde. Sachez que celui qui n'est pas habitué à entendre cela en éprouve un grand effroi, tant le bruit est horrible. Je vous assure que les chevaux, qui ne l'ont jamais entendu, sont saisis d'une telle épouvante en l'entendant qu'ils brisent les entraves et les cordes avec lesquelles ils sont attachés et prennent la fuite ; cela s'est souvent produit. Mais quand on a des chevaux dont on sait qu'ils ne l'ont jamais entendu, on leur bande les yeux et on les entrave aux quatre pieds, de telle façon qu'ils ne puissent pas s'enfuir en entendant les craquements des bambous. C'est par ce moyen que les hommes parviennent de nuit à échapper, eux et leurs bêtes, aux lions, aux onces et à d'autres bêtes dangereuses, qui vivent là en grand nombre.

Sur vingt journées que l'on met à parcourir cette région, on ne trouve ni logement ni nourriture ; il est nécessaire d'emporter de quoi manger pour soi et pour ses bêtes. Sur tout le parcours, on trouve des bêtes sauvages, très dangereuses et redoutables. On arrive ensuite à des bourgs et des hameaux nombreux, où il y a la coutume de marier les femmes comme je vais vous le dire.

C'est la vérité que nul homme n'épouserait pour rien au monde une femme qui soit vierge. Ils disent qu'elles n'ont pas de valeur si elles ne sont pas habituées à fréquenter les hommes. C'est pour cette raison qu'ils agissent de la façon suivante : lorsque des étrangers passent par cette région et qu'ils installent leurs tentes pour se loger, les vieilles femmes des bourgs et des hameaux conduisent leurs filles jusqu'aux tentes – et il peut y avoir quelque trente ou quarante jeunes filles, quelquefois plus, quelquefois moins – et les donnent aux hommes afin qu'ils fassent ce qu'ils veulent et couchent avec elles. Les hommes les acceptent, prennent avec elles leur plaisir et les gardent autant qu'ils veulent, mais ils ne peuvent pas les emmener avec eux.

Ensuite, au moment de partir, l'homme qui a fait ce qu'il a voulu avec cette femme doit lui donner un bijou ou une marque afin qu'elle puisse montrer qu'elle a eu un amant lorsqu'elle s'apprête à se marier. Et de cette façon, il faut que chaque jeune fille ait plus de vingt marques à son cou pour montrer que beaucoup d'hommes ont couché avec elle. Celles qui ont le plus de marques et peuvent prouver qu'elles ont eu plus d'amants sont jugées les meilleures et on les épouse plus volontiers, disant qu'elles ont plus de charme que les autres. Et quand ils ont épousé ces femmes, ils les chérissent beaucoup et considèrent comme un très grand mal que l'on touche à la femme de l'autre ; c'est pourquoi ils évitent absolument de le faire.

Je vous ai parlé de ces mariages, coutume digne d'être mentionnée ; et les jeunes entre seize et vingt-quatre ans auraient tout intérêt à aller dans cette région !

Les habitants sont idolâtres et ont des pratiques très mauvaises car ils ne considèrent pas comme un péché de voler et de mal agir : ce sont les plus grands brigands et voleurs du monde. Ils vivent de chasse au gibier, de bétail et du fruit de la terre. Je peux vous dire que, dans cette région, il y a de nombreuses bêtes dont on tire le musc[1] ; elles s'appellent dans leur langage *gudderi*. Les gens ont beaucoup de bons chiens qui en attrapent en grande quantité ; c'est pourquoi, ils ont du musc en abondance. Ils n'ont pas la monnaie de

---

1. Musc : substance odorante utilisée en parfumerie et produite par certains mammifères, en particulier par un cervidé, le porte-musc mâle. Cet animal est un chevrotain que l'on rencontre dans les hautes montagnes de l'Asie centrale.

papier du Grand Khan mais font monnaie du sel. Ils sont pauvrement vêtus de peaux de bêtes, de chanvre et de bougran[1]. Ils ont une langue propre, et leur pays, le Tibet, est très étendu [...].

CHAPITRE CXVIII

Le grand pays du Yunnan

Quand on a passé le fleuve Bleu, on trouve le pays du Yunnan, si grand qu'il comprend sept royaumes ; il est situé vers l'ouest. Ses habitants sont idolâtres et sujets du Grand Khan, mais le roi en est son fils Esentemur[2], qui est un roi puissant et riche. Il gouverne bien sa terre car il est lui-même sage et vaillant homme. Quand on quitte le fleuve que je vous ai indiqué plus haut et qu'on parcourt cinq journées vers l'ouest, on trouve un grand nombre de bourgs et de hameaux ; la région produit de très bons chevaux ; les gens vivent de bétail et du produit de la terre. Ils ont une langue à eux, qui est très difficile à comprendre.

Après ces cinq journées, on trouve la ville principale, qui est la capitale du royaume, elle s'appelle Kunming : c'est une ville grande et magnifique. Les

1. Bougran : nom d'un tissu, fabriqué peut-être à l'origine dans la ville de Boukhara.
2. Esentemur : en réalité, c'était le petit-fils de Khoubilaï. Il fut nommé à la tête du Yunnan en 1286, fit la guerre au Tonkin et en Birmanie (1287-1288) et mourut en 1332.

marchands et les artisans sont nombreux. Les gens sont de diverses religions : certains adorent Mahomet, d'autres sont idolâtres, quelques-uns sont chrétiens nestoriens. Il y a du blé et du riz en grande quantité, mais on ne mange pas le pain de farine car dans ce pays, il rend malade ; on mange du riz, et l'on fait aussi une boisson avec le riz, où l'on met des épices : c'est un breuvage beau et clair, qui enivre autant que le vin. Ils ont une monnaie telle que je vais vous dire : ils se servent pour payer de coquillages blancs qui se trouvent dans la mer et que l'on met au cou des chiens ; quatre-vingts coquillages valent un poids d'argent, c'est-à-dire deux gros vénitiens, et sachez que huit poids d'argent pur valent un poids d'or. Ils ont aussi des salines dont ils tirent le sel, qui est utilisé dans toute la région ; et je vous affirme que le roi tire un grand bénéfice de ce sel.

Je peux vous dire qu'ils ne se soucient pas qu'un homme touche à la femme de l'autre, si la femme est consentante.

Voici maintenant une chose que j'avais oubliée de vous conter. Il y a un lac, qui a bien cent milles de tour, et où se trouve une très grande quantité de poissons, les meilleurs du monde, très gros et de toutes les espèces. J'ajoute que les gens mangent la chair des volailles, des moutons, de bœuf et de buffle sans la cuire. Les hommes peu fortunés vont à la boucherie et prennent le foie frais, aussitôt qu'on le tire des bêtes ;

ils le découpent en menus morceaux puis le mettent dans une sauce à l'ail et le mangent sur-le-champ ; et ainsi font-ils de toutes les autres viandes. Quant aux nobles, ils mangent aussi la viande crue, mais ils la font couper en tout petits morceaux, puis ils la mettent dans une marinade faite avec de l'ail et de bonnes épices ; ensuite, ils la mangent comme nous faisons de la viande cuite.

CHAPITRE CXIX

Le pays du Yunnan (suite)

Quand on quitte la cité de Kunming et qu'on parcourt dix journées vers l'ouest, on est toujours dans ce même pays du Yunnan et l'on trouve une autre ville principale du royaume, qui se nomme Ta-Li. Les gens sont idolâtres et sujets du Grand Khan ; le roi s'appelle Hugueci[1] ; c'est un fils du Grand Khan. Dans cette région, on trouve de l'or en paillettes dans les fleuves et de l'or plus gros dans les lacs et les montagnes. Ils ont tant d'or qu'ils donnent un poids d'or pour six d'argent. Dans cette région, on utilise aussi les coquillages comme monnaie comme je vous le contais

---

1. Hugueci : cinquième fils de Khoubilaï, nommé dans le Yunnan en 1267, est mort empoisonné en 1271.

plus haut. Ces coquillages ne se trouvent pas dans le pays mais proviennent d'Inde.

C'est dans cette région que vivent les grosses couleuvres et ces serpents qui sont si énormes qu'ils suscitent la stupéfaction ; c'est un spectacle particulièrement répugnant. Je vais vous donner quelques renseignements sur leur taille. Sachez assurément qu'il y en a qui font dix pas de long et dix paumes de tour ; ce sont les plus gros. Ils ont deux pattes devant, près de la tête, mais pas de pieds, rien qu'une griffe qui ressemble à celle du faucon ou du lion. Ils ont une très grosse tête, des yeux tels qu'ils sont plus gros qu'un pain ; leur gueule est si énorme qu'ils pourraient bien engloutir un homme d'un seul coup ; leurs dents sont très grosses. Ces serpents sont tellement gigantesques et sauvages qu'il n'y a pas d'hommes ni de bêtes qui ne les redoutent et n'en soient effrayés. Il y en a aussi de plus petits, longs de huit pas ou de six ou de cinq.

Voici comment on les capture : sachez qu'ils demeurent sous terre pendant la journée à cause de la canicule, et la nuit, ils sortent pour se nourrir et ils attrapent toutes les bêtes qu'ils peuvent atteindre. Ils vont s'abreuver aux lacs, aux rivières et aux fontaines. Ils sont si gros et si lourds que quand ils se déplacent sur le sable pour manger ou pour boire – pendant la nuit –, ils creusent un si profond fossé dans le sable qu'il semble qu'on y ait jeté un tonneau plein de vin.

Les chasseurs qui vont les capturer placent un piège sur le chemin où ils ont vu passer les couleuvres : ils enfoncent en terre un pieu de bois, très gros et très solide, au sommet duquel est fixé un fer d'acier haut d'une paume, fait à la manière d'un rasoir ou d'un fer de lance ; puis ils le recouvrent de sable afin que les serpents ne le voient pas ; et les chasseurs installent ces pieux et ces fers en grand nombre. Quand le serpent passe sur le chemin où est placé l'un de ces fers, il le heurte si violemment que le fer lui entre dans la poitrine et le déchire jusqu'au ventre, de sorte qu'il meurt sur-le-champ ; c'est ainsi que les chasseurs capturent ces serpents.

Quand ils les ont pris, ils leur retirent le fiel des entrailles et le vendent très cher, car sachez qu'on s'en sert comme remède : en effet, si un homme est mordu par un chien qui a la rage, on lui en donne un peu à boire – le poids d'un petit denier – et il est aussitôt guéri. De même, quand une femme ne peut accoucher, qu'elle souffre et crie très fort, on lui donne un peu de ce fiel de serpent, et aussitôt elle met son enfant au monde. La troisième utilisation concerne les furoncles : il suffit de mettre dessus un peu de fiel et on guérit en quelques jours. Pour cette raison, le fiel de ces énormes serpents est très apprécié dans ces régions. Je peux aussi vous dire que la viande de ces serpents est vendue très cher parce qu'elle est bonne à manger et qu'ils la mangent volontiers.

J'ajoute que ces serpents vont aux endroits où les lions, les ours et les autres bêtes sauvages font leurs petits et ils mangent les petits comme les adultes, s'ils peuvent les attraper.

Je peux aussi vous dire que de cette région sont originaires des chevaux de grande taille qui sont apportés en Inde pour y être vendus. Et sachez qu'ils ôtent à ces chevaux deux ou trois nœuds de l'os de la queue afin que le cheval ne puisse battre de sa queue ceux qui les montent, car il leur semble très déplaisant que le cheval batte sa queue quand il galope. Et sachez que ces gens chevauchent long comme les Français.

Ils ont des cuirasses faites de cuir de buffle ; ils ont aussi des lances, des boucliers, des arbalètes et ils mettent du poison à tous les traits des arbalètes. J'ajoute une autre coutume qu'ils avaient avant que le Grand Khan ne conquît le pays : si un homme de bel aspect, ou noble, ou quiconque eût une bonne ombre, venait loger chez un habitant de cette région, il le tuait pendant la nuit, avec du poison ou autrement. Et ne croyez pas qu'il le faisait pour lui prendre son argent, mais c'était parce qu'ils disaient qu'ainsi la bonne ombre et le sort favorable que cet homme possédait, son intelligence et son âme, restaient dans la maison. Pour cette raison, ils tuaient beaucoup d'hommes avant que le Grand Khan ne les conquît ; mais depuis – c'est-à-dire il y a environ vingt-cinq ans –, ils ne commettent plus cette mauvaise action par crainte du Grand Khan, qui ne le tolère pas.

Après avoir parlé de ce pays, nous vous parlerons d'un autre, comme vous pourrez l'entendre.

Le grand pays de Zardandan

Quand on quitte le Yunnan et qu'on parcourt cinq journées en direction de l'ouest, on trouve un pays qui s'appelle Zardandan, où les habitants sont idolâtres et sujets du Grand Khan. La principale ville se nomme Baoshan. Les gens ont tous des dents dorées : en effet, chaque dent est recouverte d'or ; ils font une forme d'or de la taille des dents et ils recouvrent aussi bien celles d'en bas que celles d'en haut. Mais ce sont seulement les hommes qui font cela, pas les femmes. Les hommes sont tous chevaliers, selon leurs usages, et ils ne font rien, sinon d'aller guerroyer et de s'occuper de chasser et d'oiseler. Les dames font tous les travaux, ainsi que les hommes qu'ils ont faits prisonniers et qu'ils considèrent comme leurs esclaves.

Quand les dames ont accouché d'un fils, on le lave et l'enveloppe dans des linges ; et le mari de la dame entre dans le lit et garde l'enfant avec lui ; il reste couché pendant quarante jours et ne se lève que pour les besoins les plus pressants. Tous les amis et parents viennent le voir, demeurent avec lui et lui font fête. Ils font cela parce qu'ils disent que leur femme a enduré une grande fatigue à porter l'enfant dans son ventre et qu'ils ne veulent pas qu'elle continue à l'endurer pendant quarante jours encore. La femme, dès qu'elle a accouché, se lève donc du lit et accomplit toutes les tâches du ménage, servant son mari au lit.

Ils consomment toutes les viandes soit crues soit cuites ; ils mangent du riz cuit avec les viandes ou avec autre chose, selon leurs usages. Ils boivent du vin, qu'ils font avec le riz et de bonnes épices : il est excellent. Leur monnaie est l'or, mais ils utilisent aussi les coquillages. Et je peux vous dire qu'ils échangent un poids d'or contre cinq d'argent, et la raison en est qu'ils n'ont pas de mines d'argent à moins de cinq mois de voyage. C'est pourquoi les marchands y viennent avec beaucoup d'argent, l'échangeant avec ces gens et donnant cinq poids d'argent contre un d'or, ce qui leur permet de faire un grand bénéfice et de gros gains.

Ces gens n'ont ni idoles ni églises mais adorent le plus ancien de la maison, disant : « C'est de cet homme que nous sommes nés. » Ils n'ont pas d'alphabet ni d'écriture, et ce n'est pas étonnant car ils vivent dans des endroits très reculés, dans de grandes forêts et de hautes montagnes, où l'on ne peut absolument pas aller pendant l'été car l'air y est si corrompu et si malsain que nul étranger ne pourrait survivre. Mais je peux vous dire que, lorsqu'ils ont affaire les uns avec les autres, ils prennent un morceau de bois et le fendent par le milieu, et l'un garde une moitié, l'autre la seconde ; et ils font auparavant deux ou trois marques, ou autant qu'ils veulent, sur ces moitiés. Et quand ils viennent se payer, alors celui qui doit donner la monnaie ou autre chose, se fait donner la moitié du bois que l'autre avait.

Je peux vous affirmer que tous les pays dont je vous ai parlé, à savoir le Yunnan, Baoshan et Kunming, n'ont pas de médecin. Quand ils sont malades, ils font venir leurs sorciers : ce sont des gens qui agissent sur les diables et qui servent les idoles. Quand ces sorciers viennent, le malade dit le mal dont il souffre et les sorciers commencent aussitôt à jouer des instruments, à danser, jusqu'à ce que l'un d'eux tombe à la renverse sur le sol ; il a de l'écume qui lui sort de la bouche et semble mort : c'est parce qu'il a le diable dans le corps et il reste ainsi comme s'il était mort.

Quand les autres sorciers voient que l'un d'eux est tombé comme je vous l'ai dit, ils commencent à l'interroger et à lui demander de quelle maladie souffre le malade, et celui-ci répond : «Tel esprit l'a frappé parce qu'il lui a fait telle offense.» Les sorciers lui répondent : «Nous te prions de lui pardonner et de prendre en réparation de son sang et de tout ce que tu veux.» Quand les sorciers ont dit de nombreuses paroles et prié longtemps, l'esprit qui est dans le corps de celui qui est tombé, répond, et si le malade doit mourir, il répond de la façon suivante : « Ce malade a si mal agi envers tel esprit et il est si méchant que l'esprit ne veut lui pardonner pour rien au monde. » Telle est la réponse pour ceux qui doivent mourir. Mais si le malade doit guérir, l'esprit qui est dans le corps du sorcier répond : « Si le malade veut guérir, qu'il prenne deux moutons ou trois. » Il lui dit aussi de faire faire dix boissons ou plus, qui sont précieuses et très bonnes. Il lui demande que les moutons aient la tête noire ou les décrit comme devant être de telle ou telle manière. Il lui dit d'en faire sacrifice à telle idole ou à tel esprit, en présence de tels sorciers et de telles dames – parmi ceux qui servent les esprits et les idoles –, en organisant des fêtes et des actions de grâce pour telle idole et tel esprit. Quand ceux-là ont entendu cette réponse, les amis du malade font sur-le-champ tout ce que les sorciers ont indiqué : ils prennent les moutons tels qu'ils leur ont décrit, font les boissons comme on le leur a dit, tuent les moutons et répandent leur sang dans les lieux qui leur ont été prescrits, afin de sacrifier aux esprits et de les honorer.

Ensuite, ils font cuire les moutons dans la maison du malade et il y vient autant de sorciers et de dames qu'il leur a été demandé. Quand tous sont venus, que les moutons et les boissons ont été préparés, alors on commence à jouer de la musique et à danser et à chanter les louanges des esprits. Ils répandent du bouillon de la viande et un peu de ces boissons. Ils ont aussi de l'encens et du bois d'aloès[1] ; ils répandent l'encens çà et là et allument de grands cierges. Quand ils ont fait cela un certain temps, l'un des sorciers tombe à terre, les autres lui demandent si le malade a obtenu le pardon et s'il doit guérir. Celui-ci répond qu'il n'est pas encore pardonné et qu'ils doivent continuer leurs cérémonies, ce qu'ils font aussitôt. Alors l'esprit répond que, puisque le sacrifice a été accompli ainsi que tout le rite, il est pardonné et il guérira prochainement. Après avoir eu cette réponse, versé bouillon et breuvage, allumé beaucoup de cierges et répandu beaucoup d'encens, ils disent que l'esprit est maintenant avec eux. Alors, les sorciers et les dames mangent les moutons et boivent les breuvages, avec de grandes manifestations de joie et de fête. Puis chacun s'en retourne chez lui ; et tout ayant été ainsi accompli, le malade ne tarde pas à guérir.

Après avoir conté les us et coutumes de ces gens et comment ces sorciers savent invoquer les esprits, nous quitterons ces régions pour parler d'autres pays, comme vous allez l'entendre.

---

1. Bois d'aloès : il s'agit d'une variété de bois odoriférant, provenant d'un arbre que l'on trouvait surtout au Cambodge et dans l'Inde transgangétique. Le bois d'aloès avait une utilisation et des propriétés voisines de l'encens, auquel il est ici d'ailleurs associé.

CHAPITRE CXXVII

Le pays du Haut Tonkin

Le Haut Tonkin est un pays vers l'est, qui a un roi et dont les habitants sont idolâtres et ont une langue à eux ; ils se sont soumis au Grand Khan et lui versent chaque année un tribut. Je peux vous dire que ce roi a un tel penchant pour la luxure qu'il a bien trois cents femmes, car, lorsque dans le pays il y a quelque belle femme, il l'épouse. Dans ce pays, on trouve de l'or en grande quantité ; il y a des épices précieuses de toutes sortes et en abondance ; mais ils sont très éloignés de la mer et pour cette raison, leurs marchandises n'ont guère de valeur et on les a à bon marché. Ils ont beaucoup d'éléphants et d'autres bêtes de diverses espèces, et le gibier est abondant. Ils se nourrissent de viande, de lait et de riz ; ils n'ont pas de vin de raisin, mais ils en font avec le riz et des épices.

Tous les gens, les femmes comme les hommes, portent des dessins sur la peau, je vais vous dire de quelle manière : ils se font faire avec des aiguilles des peintures sur la peau, qui représentent des lions, des dragons, des oiseaux et d'autres images, et elles sont faites avec les aiguilles de telle manière qu'elles ne s'effacent jamais. Ils les font faire sur le visage, le cou, le ventre, les mains, les jambes et sur tout le corps. Et ils font cela en signe de haute noblesse ; celui qui en a le plus est considéré comme de plus haut rang et plus beau [...].

(L'itinéraire suivi par Marco Polo, après être descendu jusqu'aux pays qui bordent la Chine au sud, remonte ensuite vers le nord pour rejoindre la ville de Zhuoxian, d'où partait la première route qui conduisait vers le sud-ouest. Il emprunte maintenant la seconde route, celle qui descend vers le sud-est, et, après avoir décrit plusieurs villes du Catay, il atteint le fleuve Jaune qui délimite la frontière avec le Mangi ou Chine du Sud.)

CHAPITRE CXXXIX

La conquête du Mangi
par le Grand Khan

C'est la vérité que le grand pays du Mangi était gouverné par un roi nommé Fils-du-Ciel, qui était très puissant et riche en terres, en trésors et en sujets, de sorte qu'il n'y en avait guère au monde de plus grand ; et assurément, il n'y avait personne de plus riche et de plus puissant, à l'exception du Grand Khan. Mais sachez qu'il n'était pas vaillant aux armes, trouvait son plaisir auprès des femmes et faisait la charité aux pauvres. Dans son pays, il n'y avait pas de chevaux, les habitants n'avaient aucune habitude des batailles, des armes et des armées parce que ce pays du Mangi est un lieu naturellement protégé : en effet, toutes les villes sont entourées largement d'eau profonde. Je peux vous assurer que, si les gens avaient été des hommes de guerre, ils n'auraient jamais perdu leur pays, mais comme ils n'était pas vaillants aux armes ni entraînés, ils le perdirent. Je peux vous dire que dans toutes les villes, on entre par un pont.

Or il advint qu'en l'année 1268, le Grand Khan qui règne actuellement, à savoir Khoubilaï, envoya un de ses barons qui s'appelait Baian Cinqsan, ce qui signifie Baian Cent Yeux. Le roi du Mangi avait découvert, grâce à ses astrologues, qu'il ne pouvait perdre son royaume, si ce n'est à cause d'un homme qui eût cent yeux. Baian arriva au Mangi avec une foule de gens que le Grand Khan avait mis à sa disposition, aussi bien des cavaliers que des fantassins ; et il avait une très grande quantité de bateaux qui transportaient les hommes à cheval et à pied quand c'était nécessaire. Lorsque Baian fut arrivé avec tous ses hommes à l'entrée du Mangi, c'est-à-dire dans la ville de Huaian, où nous sommes maintenant, et dont nous vous parlerons plus loin, il dit aux habitants de se soumettre au Grand Khan. Ceux-ci répondent qu'ils n'en feront rien. Baian, voyant cela, décide d'avancer jusqu'à une autre ville qui, elle aussi, refuse de se rendre.

Il poursuit son chemin et trouve encore une ville

qui ne veut pas se rendre. Baian agissait ainsi parce qu'il savait que le Grand Khan envoyait derrière lui encore une grande armée. Que vous dire ? Il se rendit ainsi auprès de cinq villes, mais il ne put s'emparer d'aucune car toutes refusaient de se rendre. Toutefois, il arriva que Baian prit par la force la sixième ville, puis une autre, puis une autre encore, de sorte que de cette manière il s'empara de douze villes successivement. Et pourquoi allonger mon récit ? Sachez qu'après avoir pris ces villes, il se rendit directement à la capitale du royaume, qui est appelée Hangzhou, où se trouvaient le roi et la reine.

Quand le roi vit Baian avec son armée, rempli d'effroi, il quitta la ville avec une foule de gens montés sur un millier de bateaux et s'enfuit jusqu'aux îles de la mer océane. La reine, qui était restée dans la ville avec une grande quantité de gens, mit toute son application à la défendre du mieux qu'elle put. Or il arriva que la reine demanda quel était le nom du chef de l'armée et on lui dit qu'il s'appelait Baian Cent Yeux. Quand la reine entendit ce nom, elle se rappela aussitôt la prédiction des astrologues qui disait qu'un homme ayant cent yeux devait leur enlever le royaume ; alors, la reine se rendit à Baian. Toutes les autres villes du royaume firent de même et ne cherchèrent plus à opposer de résistance. Et ce fut là une bien grande conquête, car il n'y avait dans le monde entier nul royaume qui valût la moitié de celui-là : le roi en effet avait tant à dépenser que c'était absolument extraordinaire. Je vais vous dire quelques-unes de ses nobles actions.

Sachez que, chaque année, il assurait la subsistance de vingt mille petits enfants, de la façon suivante : dans ce pays, on abandonne les enfants dès leur naissance, c'est du moins le cas des pauvres femmes qui ne peuvent pas les nourrir. Le roi les faisait tous recueillir et faisait inscrire sous quel signe et quelle planète chacun était né ; puis, il les faisait élever en divers endroits, car les nourrices sont très nombreuses. Et lorsqu'un homme riche n'avait pas d'enfants, il allait trouver le roi et s'en faisait donner autant qu'il voulait et ceux qui lui plaisaient le plus. Le roi, quand le garçon et la jeune fille étaient en âge de se marier, donnait la jeune fille comme épouse au garçon et il leur distribuait de l'argent afin qu'ils puissent bien vivre. C'est de cette façon que chaque année, il en élevait bien vingt mille, aussi bien filles que garçons.

Le roi faisait encore autre chose : lorsqu'il se promenait à cheval et qu'il lui arrivait de trouver deux belles maisons et au milieu une petite, il demandait pourquoi cette maison était si petite et non aussi grande que les autres. Si on lui disait que cette petite maison appartenait à un homme pauvre qui n'avait pas la possibilité de s'en construire une plus grande, le roi commandait de la transformer en une maison aussi belle et haute que les deux qui étaient à côté. Je vous dis en outre que ce roi se faisait toujours servir par plus de mille demoiselles et damoisaux. Il faisait régner une si grande justice que nul ne commettait de mauvaise action. La nuit, les boutiques des marchands demeuraient ouvertes, et pourtant l'on ne trouvait rien qui eût été volé, on pouvait circuler la nuit aussi bien que le jour. Il serait impossible de dire la grande richesse qu'il y avait dans ce royaume.

Je vous ai parlé du royaume ; je vais maintenant dire ce qui concerne la reine. Elle fut conduite au Grand Khan ; quand le grand roi la vit, il la fit traiter avec beaucoup d'honneur et servir avec tous les égards comme une grande dame. Mais, pour ce qui est de son mari le roi, il ne sortit jamais plus de l'île de la mer océane et mourut là.

C'est pourquoi nous cesserons de parler de lui et de sa femme et laisserons ce sujet pour revenir à la description du pays du Mangi [...].

CHAPITRE CXLVI

La ville de Siang-Yang

Siang-Yang est une ville importante et illustre dont dépendent douze cités grandes et riches et où le commerce et l'artisanat sont très actifs. Les habitants sont idolâtres, ils ont monnaie de papier et sont sujets du Grand Khan. Ils font brûler leurs morts. Ils ont beaucoup de soie et fabriquent des draps d'or et de soie de diverses sortes. Les alentours sont très giboyeux. La ville a tout ce qui convient à une noble cité.

Et je peux vous dire que cette ville résista trois ans après la reddition de tout le Mangi. Pourtant, le Grand Khan avait envoyé contre elle une grande armée, mais elle ne pouvait se tenir que d'un côté de la ville – c'était le nord – car, de tous les autres côtés, il y avait un lac large et profond, si bien que l'armée du Grand Khan ne pouvait l'assiéger que par le nord. De tous les autres côtés, ils recevaient une grande quantité de nourriture grâce à l'eau. Et je peux vous assurer qu'elle n'aurait jamais été prise, sinon par le moyen que je vais vous dire.

Sachez que, lorsque l'armée du Grand Khan fut demeuré trois ans au siège de la ville sans la prendre, tous en étaient très mécontents. Alors, messire Nicolo, messire Maffeo et messire Marco dirent : « Nous allons vous indiquer le moyen grâce auquel la ville se rendra sur-le-champ. » Ceux de l'armée répondent qu'ils l'apprendront volontiers. Or toutes ces paroles furent échangées en présence du Grand Khan, car les messagers étaient venus lui rendre compte de l'inefficacité du siège. Le grand roi ordonna : « Il faut agir de façon à la prendre. » Voici ce que dirent alors les deux frères et leur fils Marco : « Grand Roi, nous avons avec nous, en notre compagnie, des hommes qui fabriqueront des mangonneaux[1] tels qu'ils lanceront sur la ville des pierres si grosses que ceux de la cité ne pourront résister et se rendront sur-le-champ, dès que le mangonneau sera entré en action. » Le grand roi accepta volontiers cette offre et leur dit de faire faire ce mangonneau dans les plus brefs délais. Messire Nicolo, son frère et son fils, qui avaient dans leur entourage un Allemand et un chrétien nestorien qui étaient des maîtres dans cet art, leur dirent de fabriquer deux ou trois mangonneaux capables de jeter des pierres de trois cents livres ; ce qu'ils firent. Le grand roi fit alors apporter ces mangonneaux à l'armée qui assiégeait la ville. Quand les machines de guerre furent arrivées, on les dressa : elles semblaient aux Tartares la plus grande merveille du monde. Que pourrais-je vous en dire ? Dès qu'elles furent dressées et tendues, l'une lança une pierre à l'intérieur de la ville : la pierre tomba sur les maisons, brisa et détruisit tout sur son passage, en faisant un grand fracas et un grand tumulte. Quand les hommes de la ville virent cette catastrophe, eux qui n'avaient jamais vu telle machine de guerre, ils en furent tellement stupéfaits et épouvantés qu'ils ne savaient quoi faire. Ils se consultèrent, ne sachant quelle décision prendre pour échapper à cette baliste. Ils se dirent qu'ils mourraient tous

1. Mangonneau : machine de guerre utilisée au Moyen Âge pendant les sièges, qui lançait des pierres (synonymes : baliste, catapulte).

s'ils ne se rendaient pas ; c'est pourquoi ils décidèrent de se rendre. Alors, ils firent savoir au chef de l'armée qu'ils voulaient se rendre aux mêmes conditions que les autres villes du pays et qu'ils désiraient devenir les sujets du Grand Khan. Le chef de l'armée accepta et les reçut : ceux de la ville se rendirent et cela advint grâce à messire Nicolo, messire Maffeo et messire Marco. Ce fut un événement d'importance car sachez que cette ville et sa province sont parmi les meilleures que possède le Grand Khan car il en tire un très grand bénéfice. Je vous ai conté comment cette ville se rendit grâce à la machine de guerre que firent faire messire Nicolo, messire Maffeo et messire Marco. Maintenant, nous laisserons ce sujet et parlerons d'une ville qui est appelée Yizheng.

CHAPITRE CXLVII

La ville de Yizheng

Sachez que, lorsqu'on quitte la ville de Yangzhou et qu'on parcourt quinze milles vers le sud-est, on trouve une ville nommée Yizheng, pas très grande mais où il y a de grand bateaux et un commerce important. Les gens sont idolâtres et sujets du Grand Khan ; leur monnaie est de papier. Sachez qu'elle se trouve sur le plus grand fleuve qui soit au monde, qui est appelé le Jiang. Il est large en certains endroits de dix milles, en d'autres de huit ou de six, et il a une longueur de plus de cent journées. C'est en raison de ce fleuve que cette ville a une grande multitude de bateaux qui transportent par voie fluviale de nombreuses marchandises. Elle est pour cela une ville dont le Grand Khan obtient un grand bénéfice et un fort tribut.

Je peux vous dire que ce fleuve est si long et passe par tant d'endroits et tant de villes que je vous assure que sur ce seul fleuve circulent plus de bateaux avec des produits plus précieux et d'une plus grande valeur qu'il n'en circule sur tous les fleuves des chrétiens et sur toute la mer. Je peux vous garantir que je vis moi-même dans cette ville cinq mille bateaux naviguant au même moment sur ce fleuve. Si cette ville qui n'est pas très grande a pourtant tant de bateaux, vous pouvez bien imaginer ce qu'ont les autres, car sachez que ce fleuve traverse plus de seize provinces et qu'il borde plus de deux cents grandes villes, qui toutes ont plus de bateaux que celle-ci.

Les bateaux sont pontés et ont un seul mât mais ils portent de lourdes charges : de quatre mille quintaux jusqu'à douze mille, selon la mesure utilisée chez nous.

Maintenant, nous partirons de là pour vous parler d'une autre ville, la ville de Guazhou, mais avant, je veux vous raconter quelque chose que j'avais oublié, qui est intéressant pour notre livre. Sachez que tous les bateaux ont des haubans[1] de chanvre, pour les mâts et pour les voiles. Mais ils sont tirés pour remonter le fleuve grâce à des perches de bambous – comprenez que ce sont des bambous gros et longs comme je vous les ai décrits plus haut – qui ont bien une longueur de quinze pas. Ils les fendent et les attachent les uns aux autres, de sorte à obtenir une longueur de trois cents pas, et c'est un matériau plus robuste que n'est le chanvre […].

L'illustre ville de Hangzhou

[…] **A**près avoir parcouru trois journées, on trouve la très illustre ville de Hangzhou, qui veut dire en français la Cité du Ciel. Puisque nous y sommes parvenus, nous vous conterons tout ce qui fait d'elle une ville magnifique, car c'est sans conteste la plus illustre cité et la meilleure qui soit dans le monde entier. Nous vous la décrirons d'après le rapport que la reine de ce pays envoya à Baian qui l'avait conquise, afin que celui-ci fît savoir au Grand Khan combien cette ville était belle pour ne pas qu'il la détruisît ou l'endomma-

---

1. Haubans : cordages textiles ou métalliques servant à soutenir ou à assujettir les mâts par le travers et par l'arrière.

geât. Tout ce que contenait cet écrit était la stricte vérité comme moi, Marco Polo, je pus le vérifier ensuite de mes propres yeux.

Ce rapport indiquait d'abord que la ville de Hangzhou fait cent milles de tour et a douze mille ponts de pierre. Et pour chacun de ces ponts, ou du moins pour la majeure partie, un grand bateau pourrait bien passer dessous son arche. ; pour les autres, seuls pourraient passer les bateaux plus petits. Nul ne doit s'étonner de l'énorme quantité de ponts car je vous assure que c'est une ville parcourue et entourée par l'eau ; c'est pourquoi il doit y avoir de nombreux ponts afin de pouvoir circuler dans toute la ville.

Le rapport indiquait ensuite que la ville avait douze métiers, et chaque métier avait douze mille établissements ou boutiques, et dans chacune au moins dix hommes, parfois quinze ou vingt et même quarante. N'imaginez pas cependant qu'ils soient tous patrons, mais il s'agit d'hommes qui font ce que commandent les patrons. Cette activité s'explique parce que beaucoup de villes de ce pays se fournissent auprès de cette cité. Il y a tant de marchands et si riches, faisant un commerce si grand, que personne n'en saurait dire la vérité, tant il s'agit de chiffres extraordinaires. J'ajoute que les hommes importants et leurs femmes, de même que ceux qui sont à la tête des établissements dont je vous ai parlé, n'ont pas d'activité manuelle : ils mènent une existence délicate et soignée, comme si c'étaient des rois; et les dames sont elles-mêmes d'un aspect délicat et angélique. Je peux vous dire que leur roi avait établi que chacun devait faire le métier de son père; même s'il avait eu cent mille besants, il n'aurait pu en changer.

Je dois aussi vous dire qu'au sud se trouve un lac ayant bien trente milles de tour et environné de nombreux beaux palais et maisons, si magnifiques qu'on ne pourrait en bâtir de plus riches ou de plus beaux; ils appartiennent à des hommes nobles et de haut rang. Il y a aussi beaucoup de monastères d'idolâtres. Au milieu du lac se trouvent deux îles et sur chacune un merveilleux palais, si bien fait et orné qu'on dirait le palais d'un empereur. Lorsque les gens désirent célébrer des noces ou faire un banquet, ils se rendent à ce palais et font là leurs noces ou leurs fêtes, ils y trouvent préparé tout ce qui est nécessaire au banquet, comme vaisselle, tranchoirs ou assiettes.

La ville compte beaucoup de belles maisons. Çà et là, il y a de grandes tours de pierre où les gens portent toutes leurs affaires quand un incendie se déclare dans la ville. Sachez en effet que le feu est très fréquent car de nombreuses maisons sont en bois.

Je peux vous dire que les habitants sont idolâtres, sujets du Grand Khan et ont monnaie de papier. Ils mangent toutes les viandes, y compris celle de chien et d'autres bêtes viles qu'un chrétien ne mangerait pour rien au monde.

J'ajoute que chacun des douze mille ponts est gardé par dix hommes de jour et de nuit ; ceux-ci veillent à ce que personne ne commette de mauvaises actions ou ne soit si hardi pour organiser la rébellion de la ville. Et je vous dis encore autre chose : à l'intérieur de la ville se trouve une colline sur laquelle se dresse une tour au sommet de laquelle il y a une planche de bois qu'un homme tient dans ses mains et qu'il frappe à l'aide d'un maillet afin qu'on l'entende de très loin. Cette planche retentit chaque fois que le feu prend dans la ville ou dans le cas où par hasard une émeute se produirait ; dès qu'un tel événement survient, on fait retentir immédiatement cette planche.

Le Grand Khan fait assurer très soigneusement la garde de cette ville par une grande foule de gens parce qu'elle est la capitale de tout le pays de Mangi, qu'elle est immensément riche et qu'il en tire un très grand bénéfice, si grand qu'il paraîtrait incroyable à ceux qui l'entendraient. En outre, le grand roi la fait garder si bien et par tant de gens par crainte des rébellions.

Sachez que, dans cette ville, toutes les rues sont pavées de pierres ou de briques cuites. De même, toutes les routes et les chaussées du pays du Mangi sont pavées, de sorte que l'on peut y circuler sans se salir, aussi bien à cheval qu'à pied. J'ajoute que, dans cette ville, il y a bien trois mille bains ou étuves, où les hommes prennent grand plaisir ; ils y vont plusieurs fois par mois car ils sont très soucieux de la propreté de leur corps. Je peux vous assurer que ce sont les plus beaux bains, les meilleurs et les plus grands qui soient au monde : en effet, ils sont si grands que cent hommes ou cent femmes peuvent s'y baigner en même temps.

Sachez encore que cette ville est distante de vingt-cinq milles de la mer océane, qui se trouve à l'est, nord-est. Là, sur le rivage, est la ville de Ganpu qui a un très bon port où viennent de très gros bateaux avec quantité de marchandises de grande valeur, d'Inde ou d'ailleurs. Et de cette ville jusqu'au port, il y a un grand fleuve qui permet aux bateaux de venir jusqu'à la ville. Ce fleuve va aussi plus loin, traversant de nombreux lieux.

Le Grand Khan a divisé le pays du Mangi en neuf parties, c'est-à-dire neuf royaumes ayant chacun un roi ; mais comprenez que tous ces rois gouvernent pour le Grand Khan : c'est pourquoi, chaque année, ces rois doivent rendre compte, auprès de l'administration du Grand Khan, des bénéfices et de toutes les autres affaires concernant chaque royaume. Dans cette ville demeure un des neuf rois et il administre plus de cent quarante cités grandes et riches.

J'ajoute encore quelque chose qui va beaucoup vous étonner : le pays du Mangi compte bien mille deux cents villes dans chacune desquelles la garde pour le Grand Khan est organisée comme suit. Le nombre le plus petit de gardiens s'élève à mille hommes, mais il peut y en avoir dix mille, vingt mille et même trente mille, de sorte qu'on atteint des quantités difficiles à chiffrer. N'imaginez pas toutefois que ces hommes sont tous des Tartares. Ils sont originaires pour la plupart du Catay. Tous ces hommes ne sont pas à cheval, une grande partie est à pied. Ce sont tous des hommes de l'armée du Grand Khan […].

Sachez que tous les gens du Mangi ont la coutume suivante : dès qu'un enfant est né, le père ou la mère fait inscrire le jour, l'heure et le moment de sa naissance, sous quel signe et quelle planète elle a eu lieu ; ainsi, chacun connaît son thème astral. Quand quelqu'un veut aller quelque part et accomplir un voyage, il se rend chez l'astrologue et lui dit son thème astral. L'astrologue lui dit alors s'il fait bien de partir en voyage ou non, et souvent il le dissuade d'entreprendre le voyage. Sachez en effet que leurs astrologues sont très expérimentés dans leur art et s'y connaissent en sortilèges diaboliques, de sorte que l'on accorde un grand crédit aux prédictions qu'ils font.

Je peux vous dire aussi que lorsque les corps des gens morts sont emportés pour être brûlés, tous les parents, les hommes comme les femmes, revêtent des habits de chanvre en signe de douleur et accompagnent le mort au son d'instruments de musique et en chantant des oraisons aux idoles. Quand ils sont parvenus à l'endroit où le corps doit être brûlé, ils s'arrêtent. Ils font faire des figures de papier, chevaux, esclaves des deux sexes, chameaux, draps d'or en quantité, ils allument un grand feu et brûlent le corps ainsi que tous ces objets de papier, disant que le mort aura tout cela dans l'autre monde, mais sous forme d'êtres de chair et d'os et de monnaie d'or, et que tous les honneurs qu'on lui rend lorsqu'on le brûle lui seront rendus dans l'autre monde par les dieux et par les idoles.

Dans cette ville se trouve le palais du roi qui s'est enfui, qui gouvernait le Mangi ; c'est le plus beau palais qui soit au monde ; je vais vous en dire certaines caractéristiques. Sachez que le palais fait dix milles de tour, il est enclos de hauts murs, tout crénelés, à l'intérieur desquels sont de beaux jardins avec tous les bons fruits qu'on pourrait imaginer : il y a de nombreuses fontaines et des lacs remplis de bons poissons. Au milieu se dresse le palais très grand et magnifique. Il a une si grande salle qu'une énorme foule de gens peut y demeurer et manger à table. Cette salle est entièrement ornée de peintures dorées, qui représentent des histoires avec des bêtes, des oiseaux, des dames, des chevaliers et de nombreuses merveilles. Il offre un magnifique spectacle car tous les murs et tous les plafonds sont recouverts de peintures dorées. Que pourrais-je ajouter ? Certes, je ne pourrais dire toute la noblesse de ce palais, mais je vous indiquerai brièvement l'essentiel, très exactement. Sachez que ce palais a vingt salles, toutes de la même grandeur et faites de la même façon, si vastes que dix mille hommes pourraient aisément s'y tenir à table et toutes peintes magnifiquement à l'or. Le palais comporte en outre mille chambres, vastes pièces belles et grandes où l'on peut manger et dormir.

Sachez encore que la ville compte cent soixante *tumen* de feux, c'est-à-dire de maisons ; or je peux vous dire que le *tumen* équivaut à dix mille. Ainsi, vous devez savoir qu'il y a un million six cent mille maisons, et parmi elles beaucoup de riches palais. Il y a seulement une église de nestoriens.

Maintenant que je vous ai décrit la ville, je vais vous dire quelque chose bien digne d'être mentionné : sachez que tous les bourgeois de cette ville – comme d'ailleurs de toutes les autres – ont la coutume et l'usage suivant : chacun écrit sur la porte de sa maison son nom, celui de sa femme, de ses fils, des femmes de ses fils, de ses esclaves et de tous ceux qui font partie de sa maison ; il y est même indiqué le nombre de chevaux qu'il possède. Et s'il arrive que quelqu'un meurt, on fait enlever son nom, si quelqu'un naît, on ajoute son nom. De cette façon, le seigneur de chaque ville sait combien de gens compte sa ville. On fait cela dans tout le pays du Mangi et aussi au Catay. Je peux vous indiquer encore un autre bel usage : sachez que tous ceux qui tiennent des hôtels où sont logés les voyageurs font inscrire aux voyageurs leurs noms ainsi que le jour et le mois où ils ont été logés, de sorte que le Grand Khan peut connaître pendant toute l'année qui va et qui vient sur toute sa terre ; c'est bien là une mesure pleine de sagesse.

Ainsi, je vous ai conté une partie de ce qui concerne Hangzhou, et maintenant je vais vous parler de l'énorme revenu de cette ville qui constitue seulement le neuvième du Mangi.

L'énorme revenu
que le Grand Khan reçoit de Hangzhou

Je veux maintenant vous dire l'énorme revenu que le Grand Khan perçoit de cette ville de Hangzhou et des terres qui en dépendent, qui représentent une part sur les neuf du pays du Mangi. D'abord, je vous parlerai du sel, parce que c'est le revenu le plus important. Sachez que le sel rapporte chaque année habituellement quatre-vingts *tumen* d'or ; or chaque *tumen* équivaut à soixante-dix mille poids d'or, ce qui fait que les quatre-vingts *tumen* valent cinq millions six cent mille poids d'or. Comme chaque poids d'or vaut plus d'un florin d'or ou d'un ducat d'or, c'est bien là un chiffre extraordinaire et une énorme quantité d'argent !

Après vous avoir parlé du sel, je considérerai les autres produits et marchandises. Je vous assure que, dans ce pays, on produit plus de sucre qu'on ne le fait dans tout le reste du monde ; et c'est encore une très grande source de revenu. Toutefois, je ne vais pas vous indiquer le chiffre pour chaque marchandise mais je me contenterai de toutes les épices prises globalement : elles rapportent trois et un tiers pour cent, de même que toutes les autres marchandises. Ils font aussi de grands bénéfices sur le vin qu'ils font à partir du riz, sur le charbon, sur tous les douze métiers que je vous ai décrits plus haut, qui ont chacun douze mille boutiques ; ils tirent beaucoup d'argent de ces douze métiers car ils paient sur tous les produits des taxes. Ainsi, pour la soie, qu'ils produisent en très grande quantité, la taxe est très élevée.

Pourquoi allongerais-je mon récit ? Sachez que, pour la soie, on doit donner dix pour cent, ce qui fait une énorme somme d'argent. Il y a beaucoup d'autres produits sur lesquels on prend aussi dix pour cent, de sorte que moi, Marco Polo, qui souvent ai entendu faire le calcul du revenu de tous ces produits sans le sel, je peux vous dire qu'habituellement, chaque année, ce revenu est de deux cent dix *tumen* d'or, qui équivalent à quatorze millions sept cent mille poids d'or. C'est bien le chiffre le plus astronomique que l'on ait jamais entendu dire pour un revenu ; or, cela ne représente qu'une part sur les neuf que compte le pays [...].

CHAPITRE CLVII

La ville de Fuzhou

Sachez que cette ville de Fuzhou est la capitale du royaume de Choncha qui est l'un des neuf que comporte le pays du Mangi. Dans cette ville, le commerce est très important et les marchands comme les artisans sont très nombreux. Les habitants sont idolâtres et sujets du Grand Khan. Une très grande quantité de soldats de l'armée du Grand Khan demeure dans cette ville parce qu'il est fréquemment arrivé que des villes et des bourgs se rebellent dans cette région. Quand cela arrive, les soldats qui demeurent dans la ville se rendent immédiatement dans ces lieux, les occupent et les détruisent. C'est pourquoi ils sont si nombreux à stationner dans la ville. Sachez qu'au milieu de la ville passe un grand fleuve qui a bien un mille de largeur. Dans cette cité, on construit beaucoup de bateaux qui naviguent sur le fleuve. On produit du sucre en si grande quantité qu'elle est impossible à chiffrer.

On fait aussi un grand commerce de perles et de pierres précieuses, parce que les navires de l'Inde y viennent nombreux, avec les marchands qui font commerce dans les îles de l'Inde. Je peux vous dire aussi que cette ville est près du port de Quanzhou sur la mer océane, et là viennent beaucoup de bateaux en provenance de l'Inde, chargés de marchandises, qui de là se rendent par le grand fleuve dont je vous ai parlé plus haut jusqu'à la ville de Fuzhou. C'est de cette façon qu'y parviennent beaucoup de produits précieux originaires de l'Inde. Ils ont profusion de tout ce qui est nécessaire à la subsistance ; ils ont aussi de beaux jardins, très agréables et remplis de bons fruits. C'est une ville si belle et si bien pourvue de tout que c'est extraordinaire.

Rien d'autre ne mérite d'être mentionné, aussi irons-nous plus avant et vous parlerons d'autres sujets.

CHAPITRE CLVIII

La ville de Quanzhou

Sachez que lorsqu'on quitte Fuzhou, on passe le fleuve et parcourt cinq journées vers le sud-est ; sur le chemin, on trouve de nombreux hameaux, bourgs et cités, qui regorgent de tout. Il y a des collines, des vallées et des plaines, qui comportent de vastes forêts où poussent beaucoup d'arbres qui produisent le camphre[1] et où l'on trouve un abondant gibier, tant de bêtes que d'oiseaux. Les habitants vivent de commerce et d'arti-

---

1. Camphre : substance aromatique cristallisée, extraite du camphrier, utilisée en médecine comme sédatif, antispasmodique, stimulant et antiseptique.

sanat, ils sont sujets du Grand Khan et appartiennent au royaume de Fuzhou.

Quand on a parcouru ces cinq journées, on trouve une ville appelée Quanzhou, très grande et illustre. C'est dans cette ville qu'il y a le port où accostent tous les bateaux qui viennent de l'Inde, avec beaucoup de marchandises coûteuses, telles que les perles grosses et belles, les pierres précieuses de grande valeur. À ce port viennent tous les marchands du Mangi, de sorte que le trafic de marchandises qui vont et viennent est si intense que c'est un spectacle extraordinaire ; ensuite, de ce port, les marchands vont par tout le pays du Mangi. Je peux vous dire que, pour un bateau de poivre qui se rend à Alexandrie ou en un autre lieu pour être apporté en pays chrétiens, il en vient cent à ce port de Quanzhou, car sachez que c'est l'un des deux ports au monde où arrive la plus grande quantité de marchandises.

Je peux vous assurer que le Grand Khan perçoit pour ce port et cette ville des taxes très élevées puisque tous les bateaux qui viennent de l'Inde paient dix pour cent de toutes les marchandises, pierres et perles, c'est-à-dire la dixième partie de tout ce qui arrive. Les bateaux prennent pour le loyer des marchandises légères trente pour cent, pour le poivre quarante-quatre pour cent ; pour le bois d'aloès, le santal[1]

---

1. Santal : arbuste d'Asie dont le bois parfumé est utilisé en ébénisterie, en parfumerie et en pharmacie.

et les autres marchandises lourdes, ils prennent quarante pour cent, de sorte que les marchands doivent donner, entre le loyer et le paiement des taxes au Grand Khan, la moitié de tout ce qu'ils apportent. C'est la raison pour laquelle il faut croire que le Grand Khan dispose pour cette ville d'une énorme quantité d'argent.

Les habitants sont idolâtres et sujets du Grand Khan. La région regorge de tout ce qui est utile pour satisfaire les besoins des hommes.

J'ajoute que, dans ce pays, dans une ville qui s'appelle Longquan, on fabrique des assiettes de porcelaine, grandes et petites, les plus belles que l'on puisse imaginer[1] ; il ne s'en fait nulle part ailleurs que dans cette ville, et de là, on les exporte par le monde. Et il y en a une si grande quantité et elles sont si bon marché que vous pourrez avoir trois assiettes, les plus belles que vous puissiez imaginer, pour un gros de Venise. J'ajoute que les habitants de cette ville ont une langue à eux.

Ainsi, je vous ai parlé du royaume de Fuzhou ou Choncha, qui est une des neuf parties du Mangi, et je peux vous assurer que pour ce royaume de Choncha, le Grand Khan perçoit des taxes et un revenu aussi importants, sinon plus, que pour le royaume de Hangzhou.

---

1. Les plus belles… imaginer : la porcelaine de Chine était depuis longtemps très réputée.

Nous ne vous avons pas conté des neuf royaumes du Mangi mais seulement de trois […] parce que la matière serait trop abondante ; c'est pourquoi nous n'en parlerons pas. Nous vous avons parlé du Mangi et du Catay et de divers autres pays et, à leur sujet, nous avons évoqué les gens, les bêtes, les oiseaux, l'or, l'argent, les pierres, les perles, les marchandises et beaucoup d'autres choses, comme vous l'avez entendu. Mais notre livre n'est pas encore achevé, car il y manque tout ce qui concerne l'Inde, bien digne d'être raconté, car l'Inde comporte de nombreuses merveilles qui n'existent pas dans les autres parties du monde ; c'est pourquoi il fallait aussi les mettre par écrit dans notre livre, et le maître les exposera aussi clairement que messire Marco Polo les dira et décrira.

Je vous affirme que messire Marco séjourna si longtemps en Inde et apprit tant concernant leurs coutumes, leurs activités et leurs ressources qu'il n'y a pas d'homme qui sût mieux en dire la vérité. Et il est bien vrai qu'il y a de telles merveilles que grand sera l'étonnement de ceux qui l'entendront. Toutefois, nous mettrons tout par écrit de façon ordonnée, comme messire Marco l'a raconté selon la stricte vérité. Nous allons commencer aussitôt, comme vous allez l'entendre.

Arrêt
sur
lecture 4

La quatrième partie : contenu et organisation

Le fil conducteur

On a vu comment la figure du Grand Khan avait pris le relais du voyageur anonyme dans la partie précédente, ses déplacements servant de fil conducteur à la description. On récupère ici le voyageur puisque la visite de la Chine et de pays limitrophes se fait selon deux itinéraires, très précisément indiqués. On notera comment la transition entre ces deux parties est habilement ménagée : l'auteur avait choisi de terminer l'évocation de l'admirable gestion politique et administrative de l'empire par les routes qui partaient de la capitale, jalonnées de relais nombreux assurant aux messagers du Grand Khan le gîte et le couvert, ainsi que la possibilité d'échanger leurs montures fourbues contre des chevaux frais et reposés.

Or on se souvient que la fin du prologue nous indiquait la tâche qu'avait confiée Khoubilaï à Marco Polo : sillonner son vaste empire pour lui en rapporter toutes les nouvelles et les informations, en particulier concernant les merveilles. C'est donc le messager que nous allons suivre ici, comme le rappelle d'ailleurs le début du chapitre CV ; cependant, conformément à son habitude, Marco Polo ne parle que rarement de lui à la première personne, si bien qu'on ne sait pas exactement quelles sont les régions qu'il a visitées et quelles sont les informations qu'il ne fait que rapporter par ouï-dire.

Il faut reconnaître que son compte rendu apporte une masse de renseignements souvent très précis, dont certains laissent transparaître l'intérêt et la curiosité du marchand qu'il n'oublie jamais d'être, mais aussi ses origines vénitiennes, car, on le verra, celles-ci le rendent particulièrement attentif à certaines caractéristiques des villes chinoises qu'il visite.

Les deux itinéraires

Cette partie se subdivise en deux sous-parties, chacune suivant un itinéraire, comme l'indique clairement le chapitre CVI. Les deux routes partent de la ville de Zhuoxian : la première est orientée vers le sud-ouest et descend jusqu'au Tonkin, pays annexé par le Grand Khan et qui lui verse tribut, puis remonte à nouveau afin de rejoindre Zhuoxian (chap. CXXX).

Ici commence le second itinéraire dirigé sud-sud-est, qui ne tarde pas à franchir la frontière séparant le Catay (Chine du Nord) du Mangi (Chine du Sud), récemment soumis par Khoubilaï, comme le soulignent les nombreuses références faites par Marco Polo à divers épisodes de cette conquête.

Ces deux parties se distinguent par le fait que le premier itinéraire atteint des régions reculées, qui présentent des dangers pour le voyageur (voyez le moyen pittoresque et efficace, évoqué au chapitre CXV, utilisé pour éloigner les bêtes féroces des campements), alors que le second décrit des régions très urbanisées.

Des voies fluviales stratégiques

Dans cette partie, Marco Polo attache une grande importance aux fleuves et aux canaux. La Chine est un pays bien arrosé par de nombreuses et immenses voies d'eau. C'est l'exploitation qu'on en fait afin d'assurer le transport des marchandises qui frappe surtout notre Vénitien. Toutes ces voies d'eau, telles qu'il les dépeint, sont animées sans cesse d'un intense trafic.

Ainsi, pour la ville de Yizheng où passe le fleuve Jiang, le texte fait intervenir son témoignage personnel pour donner plus de force à son information : « Je peux vous garantir que *je vis moi-même* dans cette ville cinq mille bateaux naviguant au même moment sur ce fleuve. »

Voilà un chiffre bien extraordinaire ! Certes, c'est une estimation globale, comprenant sans doute des bateaux de gabarit varié, depuis la petite barque jusqu'aux jonques de taille respectable. Mais même si l'on impute à Marco Polo une tendance toute méditerranéenne à l'exagération, le texte n'en fait pas moins ressortir la très forte impression ressentie devant ce trafic intense, pourtant familier à un Vénitien.

C'est aussi dans cette perspective qu'il faut relever son attention aux ponts. Il estime à douze mille le nombre de ponts de pierre à Hangzhou. Grâce à la multitude des ponts, l'eau cesse d'être un obstacle à la circulation des hommes. Marco Polo est très sensible aussi aux qualités esthétiques de ces ouvrages dans la description qu'il fait des ponts (lisez les chap. CV et CXIV). Il n'oublie pas non plus l'intérêt financier du Grand Khan, et parle des taxes perçues sur les boutiques installées sur le pont de Cheng-Du.

D'étranges coutumes !

Fidèle à l'engagement qu'il a pris envers le Grand Khan comme envers son public occidental, Marco Polo a ramené de ses missions le récit de bien étranges coutumes, si étranges qu'elles prennent parfois carrément le contre-pied de nos propres habitudes. Il essaie le plus souvent de les justifier, adoptant à leur égard une attitude compréhensive, digne d'un moderne ethnologue, qui montre la relativité des coutumes et nous amène à prendre du recul par rapport à nos propres normes qui sont le plus souvent des conventions.

En outre, on devine souvent le regard amusé de Marco Polo ; loin d'observer avec condescendance la diversité humaine, il l'enregistre pour divertir son auditoire !

Des coutumes matrimoniales originales

La coutume matrimoniale exposée au chapitre CXV est bien digne du « monde à l'envers » : tandis que dans la plupart des sociétés – aujourd'hui encore ! –, la jeune fille doit garder sa virginité jusqu'à son mariage, c'est la coutume inverse qui est observée par les habitants du Sichuan. Ils poussent même assez loin cette pratique puisque la jeune fille est invitée à collectionner ses amants avec preuves à l'appui. Or, Marco Polo, loin de s'offusquer, nous livre la justification qu'ils en fournissent et qui, après tout, est assez convaincante – ne trouvez-vous pas ?

Mais n'oublions pas l'humour, bien présent dans ce passage, comme en témoigne l'invitation qu'il formule dans la phrase qui conclut l'exposé de cette coutume ; c'est un vrai clin d'œil à son public !

La « couvade »

Dans cette coutume mentionnée au chapitre CXX, l'aspect merveilleux réside ici encore dans l'inversion, celle des rôles masculin et féminin au moment de la naissance d'un enfant. Cette coutume a été observée dans diverses parties du monde par les ethnologues pour des sociétés de type archaïque. Sous l'aspect comique du renversement (voyez Textes à l'appui), elle a une signification symbolique, que Marco Polo s'efforce ici de dégager (de manière maladroite !). Cette coutume peut en effet répondre à un besoin réel, sur le plan des représentations et de la psychologie, en permettant à l'homme de participer sur le mode symbolique à la mise au monde de l'enfant.

Les habitudes alimentaires

Marco Polo relève un certain nombre de nourritures bizarres. Notons la constante du riz, aliment de base jouant le rôle qu'a le pain chez nous (il ne sera cultivé que beaucoup plus tard en Europe), dont on fait aussi un alcool que notre voyageur semble apprécier (chap. CVIII) ! Ici encore, son observation est si précise qu'il lui arrive de nous fournir de vraies recettes de cuisine (ainsi pour la viande crue préparée en marinade, à la fin du même chapitre).

Les ornements du corps

Les critères de la beauté corporelle sont, plus que d'autres, soumis à variation, comme le suggère Marco Polo par les deux coutumes qu'il note. Chez les habitants du Zardandan, les hommes recouvrent leurs dents d'une feuille d'or ; dans le Haut-Tonkin, hommes et femmes se parent le corps de tatouages. En fait, aujourd'hui, inutile d'aller si loin pour observer de telles pratiques, il suffit de regarder autour de nous…

Des remèdes et des pratiques de guérison

En général, Marco Polo fait preuve d'un assez grand réalisme dans ses descriptions d'animaux, mais, ici, les serpents qu'il dépeint ressemblent à de vrais dragons ! Le compte rendu de leur capture et des multiples ressources qu'en tirent les habitants montre que Marco Polo est lui-même soucieux de dépasser sa répugnance première pour manifester son esprit pratique ! Indiquez quels remèdes sont ainsi obtenus.

La sorcellerie est pratique courante au Yunnan. On peut certes douter de son efficacité, mais Marco Polo nous fournit ici un témoignage très précis de scènes de possession chamanique que les ethnologues ont pu observer dans diverses sociétés archaïques. Le sorcier, grâce à la danse, entre dans un état de transe qui lui permet de communiquer avec les esprits et d'interpréter l'origine du mal dont souffre le malade.

Les meurtres rituels

Il s'agit ici de l'usage qu'avaient les habitants du Yunnan – avant que Khoubilaï n'y mette bon ordre – de tuer certains de leurs hôtes. Marco Polo, tout en condamnant cette pratique, comprend qu'il s'agit de meurtres rituels liés à certaines croyances : retrouvez la justification qu'il en donne au chapitre CXIX.

Les monnaies d'échange

Dans la plupart des régions de l'empire, c'est le papier-monnaie frappé du sceau du Grand Khan qui est utilisé pour les échanges. Toutefois, dans les régions reculées, d'autres monnaies prévalent, par exemple, le sel au Sichuan (Tibet) et les coquillages au Yunnan. Ces informations pourraient paraître seulement pittoresques. Or, non seulement elles ont toutes chances d'être véridiques, mais encore elles laissent deviner un solide bon sens de marchand chez notre auteur. N'oublions pas, en effet, que si l'or est la monnaie d'échange par excellence et la valeur la plus précieuse, c'est parce qu'il est le produit le plus rare; mais là où il abonde, on tendra à lui substituer des produits beaucoup plus rares – qui ont donc plus de valeur! – dans ce même pays. C'est le cas au Zardadan où l'or abonde tandis que l'argent manque et vaut donc plus cher que l'or. C'est pour cette même raison que les coquillages utilisés comme monnaie au Yunnan proviennent de l'Inde (début du chap. CXIX).

La conquête du Mangi

Même si on a pu voir tout au long de la troisième partie le vibrant éloge de Khoubilaï par Marco Polo et l'admiration qu'il portait à ses talents et à son prestige, il est clair que le Vénitien a conscience que l'intelligence du Grand Khan a consisté avant tout à assimiler les remarquables acquis de l'antique civilisation chinoise. C'est ce qui apparaît bien ici, avec les nombreux détails qui évoquent la société raffinée et le développement technologique très poussé des villes chinoises. Rappelons pour exemple que les Chinois utilisent la boussole dès l'an 1100 et la poudre à canon; ils introduisent la vaccination antivariole dès le début du XIe, plus de sept siècles et demi avant l'Europe. Idem pour la technique de l'imprimerie, en usage en Chine dès le VIIe, alors que l'Europe devra attendre le XVe siècle.

On a vu que les Mongols sont essentiellement caractérisés par leur mode de vie nomade, aux antipodes de la mentalité urbaine. Au début de l'expansion de l'empire, les villes ont constitué pour eux une source de butin ; une fois qu'ils les avaient pillées, ils ne songeaient qu'à les détruire. En revanche, dans un second moment, en Perse comme en Chine, ils sauront s'adapter à la vie urbaine, en goûter les avantages et en exploiter les richesses. Cette étape s'opère cependant dans la violence, et même si Marco Polo a très souvent tendance à la gommer ou à l'atténuer, le texte la laisse entrevoir.

Ici encore, on note une certaine habileté du narrateur pour organiser son récit : c'est au moment où le voyageur franchit la frontière entre le Catay et le Mangi qu'il évoque la guerre de conquête entreprise par Khoubilaï, ce qui lui permet de faire alterner la description des villes sur le second itinéraire et les récits guerriers.

La conquête de Baian Cent Yeux

La version que Marco Polo nous donne des événements – L'auteur justifie la conquête du Mangi par Khoubilaï, malgré la supériorité de ce pays dans de nombreux domaines, en fournissant quelques raisons pertinentes (début du chap. CXXXIX) : absence de pratique guerrière, manque de chevaux, confiance excessive dans la sûreté des villes protégées par l'eau qui les entoure… Mais ici encore, comme on l'a vu pour l'histoire des Mongols, le récit est fortement teinté de traits légendaires, en particulier par la place accordée au personnage de Baian Cent Yeux.

Sa progression dans le Mangi nous est décrite abstraction faite de toute violence. Ce qui lui permet d'obtenir la reddition de la capitale, c'est la découverte de la véracité des prédictions des astrologues, auxquelles les habitants refusaient d'abord de croire, tant la venue d'un homme aux cent yeux leur paraissait improbable. Cette légende joue sur le nom du personnage ; elle est à rapprocher de la ruse d'Ulysse face au Cyclope dans l'*Iliade* : il lui dit qu'il s'appelle « Personne », si bien que lorsque le Cyclope appelle au secours en criant « Personne m'attaque ! », nul ne vient l'aider…

Les données historiques – Afin de mesurer les distorsions opérées par Marco Polo, il est intéressant de comparer son récit avec les données que l'on trouve sous la plume d'un historien, J.-P. Roux, dans son *Histoire de l'Empire mongol* (voir Bibliographie).

Après avoir connu quelques succès en 1257-1259, Khoubilaï lança une nouvelle offensive contre le Mangi en 1268, mais les Chinois opposèrent une résistance tenace aux assauts mongols et la capitale ne se rendit qu'en 1276. L'empereur de Chine Tou-tsong était mort en 1275 ; son Premier ministre fit monter sur le trône un enfant de cinq ans, espérant ainsi gouverner à sa place. C'est l'impératrice douairière qui rendit la capitale aux armées de Khoubilaï, et le petit empereur fut envoyé chez le Grand Khan qui le traita, semble-t-il, avec humanité…

Le siège de Siang-Yang

Ici, l'affabulation est encore plus patente. Il nous est même possible de prendre Marco Polo en flagrant délit de mensonge…

La fiction – Le récit du siège insiste de façon fort troublante sur le rôle joué par les Polo dans la prise de cette ville qui offre une résistance farouche aux Mongols. Certes, Marco ne va pas jusqu'à s'attribuer, ainsi qu'aux siens, la construction des machines de guerre, mais c'est grâce à leur intervention que l'on trouve les ingénieurs – un Allemand et un chrétien nestorien – dont l'habileté technique va permettre de venir à bout du siège.

La réalité – Comparons maintenant le récit avec les données historiques. Le siège de Siang-Yang commença en 1268 et dura cinq ans. Les machines de guerre qui se révélèrent si efficaces furent l'œuvre de deux ingénieurs musulmans, l'un originaire de Mossoul, l'autre de Hilal (Irak). On peut surtout se demander si ce ne fut pas l'épuisement des assiégés, soumis à cinq ans d'épreuves, qui décida de la victoire des armées du Grand Khan…

La morale de l'histoire – Il faut savoir que les Polo n'étaient pas en Chine à cette époque. Marco (âgé de quatorze ans en 1268) était encore à Venise, Nicolo et Maffeo étaient sur le chemin de retour de leur premier voyage ; tous trois n'arriveront à la cour du Grand Khan que vers 1275. Donc, Marco ment ici, mais il pourrait bien le faire pour une raison précise : le refus de reconnaître que, dans le domaine de l'art militaire, à cette époque, les musulmans pouvaient avoir des leçons à donner à tous, aussi bien aux Chinois qu'aux Mongols et aux Européens !

L'organisation politique du Mangi

Les précisions apportées dans le chapitre CLII, après la description de la capitale, indiquent que le Mangi a été organisé en neuf royaumes par Khoubilaï, chaque roi gouvernant en fait pour le Grand Khan. Si l'aspect violent de la domination de Khoubilaï sur le Mangi est considérablement estompé par Marco Polo, il n'en admet pas moins les risques fréquents de rébellion et les détails donnés ici, ainsi que dans le chapitre CLVII, sur les innombrables gardiens placés dans chaque ville – qui sont, dit-il, des soldats de l'armée du Grand Khan –, prêts à intervenir pour réprimer les émeutes, nous permettent de démystifier quelque peu l'image du Grand Roi : sous un gant de velours, c'est bien la main de fer qui apparaît.

La ville chinoise de Hangzhou

Venise et Hangzhou

La capitale de la Chine du Sud représente véritablement l'apothéose et le bouquet final dans cette description du Mangi. C'est en effet « la plus illustre cité et la meilleure qui soit dans le monde entier » (début du chap. CLII). Pour nous le montrer, Marco Polo n'hésite pas à accumuler les chiffres les plus mirobolants, comme on le verra en particulier un peu plus loin dans le calcul du revenu que la ville rapporte au Grand Khan. Exagère-t-il ? Ce n'est pas si sûr. Par rapport à toutes les autres villes du Mangi, elle en est bien à la fois la tête et le plus beau fleuron. Comme beaucoup d'autres, c'est une ville sur l'eau, donc un carrefour stratégique de toute la navigation fluviale : Marco Polo y compte douze mille ponts de pierre ! Ensuite, c'est une ville où le commerce et l'artisanat sont les deux activités florissantes : douze mille boutiques pour chaque corporation ou métier, ceux-ci étant au nombre de douze. Quant aux marchands, dit-il, leur quantité est proprement innombrable.

Si Hangzhou exerce sur Marco Polo une telle fascination, on ne doit pas s'en étonner. N'évoque-t-elle pas sa ville natale, Venise, par sa situation – comme elle, parcourue d'eau, avec ses canaux grouillant de bateaux – et par son intense activité commerciale et artisanale ? Mais les qualités de Venise sont ici présentes au centuple, de sorte que les patrons des boutiques vivent, affirme Marco Polo, « comme des rois », jouissant de leurs bénéfices sans même avoir besoin d'exercer une activité manuelle.

En Europe, au XIIIᵉ siècle, les riches commerçants des villes les plus dynamiques, Arras, Venise ou Florence, pouvaient prétendre se substituer aux seigneurs de l'aristocratie et des châteaux ; mais, à Hangzhou, c'est à celui « des rois » que leur train de vie mérite d'être comparé…

Luxe et raffinement

D'où vient l'information ? – Chaque fois que l'auteur se prépare à livrer une information incroyable, il prend soin de la garantir. Il le fait ici de deux façons. D'abord, il prétend s'appuyer sur un rapport rédigé par l'impératrice de Chine elle-même ! Qui d'autre en effet connaît mieux la ville ? D'autant que ce rapport aurait été envoyé à Khoubilaï pour le convaincre que son intérêt était de prendre Hangzhou sans l'endommager. Cette description s'intègre ainsi parfaitement à ce qui a été conté plus haut au sujet de la conquête du Mangi.

La seconde garantie, c'est le témoignage personnel de l'auteur : « Tout ce que contenait cet écrit était la stricte vérité comme moi, Marco Polo, je pus le vérifier ensuite de mes propres yeux. »

Cette double garantie est bien à la mesure de tout ce que cette ville contient de proprement merveilleux.

Confort et modernisme – La description de Marco Polo est intéressante : elle nous permet de bien mesurer l'écart entre une ville européenne, même riche, telle que Venise, et le haut degré de développement qu'offre au même moment la Chine. Ainsi, le regard admiratif du Vénitien est pour nous doublement instructif : il nous fait découvrir la Chine mais aussi la réalité urbaine qui lui était familière. Prenons deux exemples.

Le premier concerne la protection contre les incendies, menace constante qui pesa sur les grandes villes jusqu'à une époque récente puisque la majorité des maisons était en bois (pensons au gigantesque incendie de Londres en 1666 et à celui du Bazar de la Charité à Paris en 1897). On comprend donc l'attention que porte Marco aux dispositions ingénieuses adoptées à Hangzhou pour parer à ce fléau éventuel.

Le second exemple concerne le pavage des rues et chaussées. Ici encore, si le Vénitien apprécie de pouvoir « circuler sans se salir, aussi bien à pied qu'à cheval », c'est parce que piétons et cavaliers, en Europe, ne pouvaient guère éviter la boue des chemins et des rues que par temps sec ; sinon, leurs beaux habits étaient bien vite tout crottés ! Cherchez à votre tour d'autres observations qui nous permettent de mesurer le modernisme d'Hangzhou.

Des chiffres prodigieux – Plus qu'ailleurs, la description a recours ici au merveilleux quantitatif. Hangzhou compte douze mille boutiques pour chaque corporation et elles-mêmes sont au nombre de douze, le palais impérial dispose de vingt grandes salles pouvant contenir dix mille personnes, la ville a un million six cent mille maisons… Sans doute faut-il relativiser quelque peu ces données. Toutefois, les documents attestent la surpopulation de la capitale du Mangi qui comptait, semble-t-il, cinq cent mille habitants vers 1250 et neuf cent mille vers 1270. D'ailleurs, le procédé ingénieux pour recenser le nombre d'habitants (indiqué à la fin du chap. CLII) confirmerait qu'on avait les moyens de l'évaluer.

Mais les documents nous permettent aussi de deviner que le tableau tout en rose que Marco Polo nous offre de la capitale embellit la réalité, gommant en particulier de sensibles différences entre les riches et les pauvres, une crise aiguë du logement, des conditions difficiles pour beaucoup de familles qui abandonnent les nouveau-nés. Voyez d'ailleurs ce que Marco Polo indique plus haut au sujet des vingt mille orphelins recueillis chaque année par le roi du Mangi (chap. CXXXIX).

Il y a donc fort à parier que la fabuleuse richesse du pays ne profitait pas de la même façon à tous, d'autant que, comme Marco Polo le montre clairement, celui qui en retire les plus grands bénéfices, c'est bien le Grand Khan.

Le revenu de la ville

On pourrait s'étonner de voir Marco Polo accorder tant d'importance au revenu que le Grand Khan tire de la capitale du Mangi… pour le sel. La raison en est d'abord que non loin se trouvaient les plus grandes salines de l'empire. Ensuite, on ne se nourrit certes pas de sel mais il constitue de tout temps et pour tous les peuples, le complément indispensable, quel que soit le régime alimentaire. Enfin, on peut supposer que, parmi les tâches administratives que Khoubilaï confia à Marco Polo, il eut à s'occuper du monopole du sel pour le Mangi.

Marco Polo nous fournit bon nombre de chiffres, mais il nous laisse le soin de faire les opérations. Voyez l'exercice qui vous est proposé un peu plus loin afin d'évaluer en poids d'or ce que reçoit le Grand Khan de sa bonne ville de Hangzhou : vous comprendrez aisément pourquoi il a jugé sage de la conquérir sans la détruire et pourquoi « il fait assurer très soigneusement la garde de cette ville par une grande foule de gens » !

Le port de Quanzhou

Une habile transition

Notons d'abord la place stratégique occupée dans cette partie par l'évocation du port de Quanzhou. Il en constitue l'ultime chapitre, le dernier lieu décrit. Ici encore, le narrateur soigne ses transitions ; ce port constitue en effet la plaque tournante du commerce entre la Chine et l'Inde, il annonce donc dans cette séquence la dernière partie du livre, consacrée à l'Inde.

Le récit mime le voyage. C'est bien dans ce port que le lecteur va bientôt embarquer à bord des solides bateaux chinois pour la dernière partie du voyage. En outre, par rapport à ce qui précède, l'évocation des activités marchandes du port de Quanzhou constitue une progression : à l'intense trafic de marchandises à l'intérieur de la Chine vient s'ajouter l'arrivée massive des matières précieuses en provenance de l'Inde. Et, à nouveau, Marco Polo nous fournit d'intéressantes données chiffrées.

Encore quelques chiffres

Le rapport entre le trafic maritime qui relie l'Inde à l'Europe et celui qu'on observe de l'Inde à la Chine est ici indiqué : il est de un à cent ! Ce chiffre devait impressionner fortement ceux auxquels le livre était lu, et en particulier les marchands : ce qu'on voyait en Europe en matière d'échanges commerciaux, la Chine l'offrait donc au centuple !

Mais ici encore, le chiffre est fourni pour faire ressortir les bénéfices que le Grand Khan tire de l'activité portuaire de Quanzhou grâce aux taxes perçues sur chaque bateau. On remarque que, tout en faisant ces comptes, Marco Polo n'oublie pas le point de vue du marchand, nous renseignant très précisément sur les coûts d'affrètement selon le type de marchandises transportées.

à vous...

1 – Synthèse – Vous ferez la liste des principales marchandises mentionnées pour les pays ou villes visités dans cette quatrième partie, en distinguant les produits naturels et les objets manufacturés et en indiquant pour chacun leur provenance.

2 – Enquêter – Faites une petite enquête sur les différences entre les habitudes alimentaires selon les communautés d'origine géographique variée qui peuvent exister dans votre ville ou dans votre quartier (quel est l'aliment de base ? type de viande et mode de consommation...) ou en consultant la carte des restaurants servant une cuisine étrangère. Retrouvez-vous des particularités notées par Marco Polo ?

3 – Calculer – Sachant qu'un *tumen* (unité mongole) vaut, comme le dit Marco Polo, 70 000 poids d'or et qu'un poids d'or équivaut à 4,72 grammes d'or :

– calculez le nombre de kilos d'or que rapporte annuellement le sel de Hangzhou au Grand Khan ;
– calculez de la même façon le revenu annuel de tous les autres produits, à l'exception du sel, sachant que, en *tumen*, il est de 210 ;
– additionnez les deux chiffres et vous saurez combien de kilos d'or le Grand Khan reçoit de sa bonne ville de Hangzhou.

4 – Rédiger – À partir des détails fournis dans la description de Hangzhou, imaginez la journée d'un de ses habitants aisés – homme ou femme, à votre choix.

Textes à l'appui

Les multiples agréments de la vie à Hangzhou

L'historien Jacques Gernet confirme le témoignage de Marco Polo sur la capitale du Mangi, Hangzhou, grâce aux documents chinois qui décrivent très précisément la ville à cette même époque. Voici, par exemple, ce que disent les sources chinoises sur deux distractions offertes aux habitants, les maisons de thé et la promenade sur le lac.

« L'intense activité commerciale, la forte densité humaine, l'afflux incessant des gens de passage rendent compte du très grand nombre des lieux où les habitants de la ville et les voyageurs peuvent se restaurer, se réunir et se distraire. La ville compte une multitude de restaurants, d'hôtels, de cabarets, de maisons de thé et de maisons de chanteuses. Les plus célèbres maisons de thé de Hangtcheou sont le lieu de rendez-vous des personnes des classes riches.

Commerçants enrichis et fonctionnaires viennent y apprendre à jouer de divers instruments de musique. La décoration est luxueuse : étagères de fleurs, pins et cyprès nains, œuvres de peintres célèbres et de calligraphes de talent exposées afin d'attirer les passants. On y sert, dans des tasses en fine porcelaine, sur des plateaux de laque, des thés de qualité exceptionnelle, de l'alcool «aux fleurs de prunier», et, en été, des beignets, des médecines pour la chaleur, des breuvages pour contracter la vésicule biliaire. Dans certaines maisons de thé de la Voie impériale, on trouve, à l'étage, des chanteuses. Mais ce sont là des lieux bruyants, mal famés, que les gens de bien se gardent de fréquenter. [...]

D'après la description de Hang-tcheou en 1275, il y avait constamment sur le lac plusieurs centaines d'embarcations de toutes tailles et de tous genres : petites barques semblables à celles des canaux de la ville, mues au moyen d'une grande rame fixée à l'arrière et que le batelier maniait avec le pied ; bateaux rapides à roues et pédales ; grosses embarcations à fond plat longues de 30 à 60 mètres et qui pouvaient porter 30, 50 ou même 100 passagers ; bateaux de 6 à 9 mètres de long où pouvaient prendre place une vingtaine de personnes. Tous ces bateaux étaient construits avec le plus grand soin, et les parties apparentes ornées de fines sculptures et peintes de couleurs vives. Quand ils se déplaçaient, «on n'y sentait pas plus de mouvement que sur la terre ferme». Chacun portait un nom : «Les cent fleurs», «Les sept joyaux», «Le lion d'or», «Le bateau jaune», etc. Près du parc du Petit Lac (partie du lac délimité par une petite digue), étaient amarrés les bateaux de l'empereur construits entièrement en bois de cèdre, aux sculptures magnifiques. À l'accotement du monastère du Champignon merveilleux, on pouvait voir une embarcation qui passait pour provoquer des tempêtes chaque fois qu'on lui faisait prendre le large, si bien qu'on avait renoncé à s'en servir et qu'elle restait toujours amarrée à cet endroit.

Certains petits bateaux qui transportaient des chanteuses, et d'autres conçus de façon que les passagers pussent s'y distraire à divers jeux (jeu de fléchettes, jeu de balle, etc.) s'approchaient des promeneurs sans qu'ils les aient appelés. Les bateaux de plaisance ne chômaient jamais et, au moment des fêtes – le 8 de la 2e lune, au mois de mars, le 8 de la 4e lune (vers le mois de mai), au moment de la fête des morts, vers le 5 avril – il était prudent de retenir son embarcation d'avance. On ne pouvait rien avoir alors à moins de 200 ou 300 sapèques. Les passagers qui voulaient déjeuner à bord n'étaient pas obligés de rien apporter dans ces bateaux de plaisance : les bateliers se chargeaient de leur procurer tout le nécessaire, vaisselle, alcools et victuailles. **»**

Jacques Gernet, *La Vie quotidienne en Chine
à la veille de l'invasion mongole, 1250-1276*,
Éditions Hachette, 1978.

Venise et Hangzhou

Le romancier italien Italo Calvino, dans son livre *Les Villes invisibles*, imagine les entretiens entre Marco Polo et le Grand Khan. En voici un extrait :

« – T'est-il jamais arrivé de voir une ville qui ressemble à celle-ci ? demandait Kublai à Marco Polo.

Et il avançait sa main baguée hors du baldaquin de soie du bucenteaure impérial, et il montrait les ponts arqués par-dessus les canaux, les palais princiers dont les seuils de marbre baignaient dans l'eau, le va-et-vient des bateaux légers qui voltigeaient en zigzags sous la poussée de longues rames, les chalands qui déchargeaient les corbeilles de légumes sur les places des marchés, les balcons, les terrasses, les coupoles, les campaniles, les jardins dans les îles qui verdoyaient sur le gris de la lagune.

L'empereur, accompagné de son dignitaire étranger, visitait Hangschow, antique capitale de dynasties détrônées, dernière perle enchâssée dans la couronne du Grand Khan.

– Non, sire, répondit Marco, je n'aurais jamais imaginé qu'il puisse exister une ville semblable à celle-ci.

L'empereur voulut le regarder dans les yeux. L'étranger abaissa son regard. Kublai resta silencieux toute la journée.

Après le coucher du soleil, sur les terrasses du palais royal, Marco Polo exposait au souverain le résultat de ses ambassades. Habituellement, le Grand Khan terminait ses soirées en savourant, les yeux mi-clos, ces récits jusqu'à ce que son premier bâillement donnât à la suite des pages le signal d'allumer les torches pour conduire le souverain au pavillon de l'Auguste Sommeil. Mais cette fois Kublai ne paraissait pas décidé à céder à la fatigue.

– Parle-moi d'une autre ville encore, insistait-il.

– ... De là l'homme s'en va et chevauche trois jours entre le nord-est et le levant...

Marco recommença à parler et à énumérer les noms et les coutumes et les commerces d'un grand nombre de terres. Son répertoire pouvait être dit inépuisable, mais ce coup-ci ce fut à lui de se rendre. C'était l'aube quand il dit :

– Sire, désormais je t'ai parlé de toutes les villes que je connais.

– Il en reste une dont tu ne parles jamais.

Marco Polo baissa la tête.

– Venise, dit le Khan.

Marco sourit.

– Chaque fois que je fais la description d'une ville, je dis quelque chose de Venise.

– Quand je t'interroge sur d'autres villes, je veux t'entendre parler d'elles. Et de Venise, quand je t'interroge sur Venise.

– Pour distinguer les qualités des autres, je dois partir d'une première ville qui reste implicite. Pour moi, c'est Venise.

– Alors tu devrais commencer tous tes récits de voyage par leur point de départ, en décrivant Venise telle qu'elle est, et tout entière, sans rien omettre de ce que tu te rappelles.

L'eau du lac frisait tout juste ; le reflet des branches de l'antique cour des Song se brisait en réverbérations qui scintillaient, comme des feuilles flottantes.

– Les images de la mémoire, une fois fixées par les paroles, s'effacent, constata Polo. Peut-être, Venise, ai-je peur de la perdre toute en une fois, si j'en parle. Ou peut-être, parlant d'autres villes, l'ai-je déjà perdue, peu à peu. **》**

Italo Calvino, *Les Villes invisibles*,
Éditions du Seuil, 1996.

Le monde à l'envers

Dans la chantefable intitulée *Aucassin et Nicolette*, l'auteur, qui a peut-être lu Marco Polo, nous présente un pays où tout se fait « à l'envers » : c'est le royaume de Turelure où viennent d'arriver Aucassin et Nicolette, deux jeunes gens qui s'aiment mais qui ont dû s'enfuir car leurs parents s'opposent à leur mariage...

XXVIII
PARLÉ : RÉCIT ET DIALOGUE

Ils demandèrent quel pays c'était : on leur répondit que c'était le pays du roi Turelure ; puis Aucassin demanda quel homme c'était et s'il était en guerre : on lui répondit :

« Oui, il soutient une guerre terrible. »

Il prit congé des marchands qui le recommandèrent à Dieu. Il monta sur son cheval, l'épée au côté, son amie, devant lui et, à force de chevaucher, il parvint au château. Comme il s'enquérait du roi, on lui répondit qu'il était au lit : il venait d'être père.

« Et où est donc sa femme ? »

On lui répondit qu'elle était à la guerre, à la tête de tous les habitants du pays. Cette nouvelle stupéfia Aucassin qui se dirigea vers le palais où il descendit en compagnie de son amie. Tandis qu'elle tenait son cheval, il monta au palais, l'épée au côté, et, à force de marcher, il parvint à la chambre où le roi était couché.

XXIX
CHANTÉ

Dans la chambre entre Aucassin le courtois et le noble. Parvenu au lit, à l'endroit où est couché le roi, il s'arrête devant lui et lui parle. Mais écoutez plutôt ses propos : «Allons ! fou que tu es, que fais-tu ici ?» Le roi lui répondit : «Je suis couché, je viens d'avoir un fils. Quand mon mois sera accompli, et que je serai complètement rétabli, alors j'irai entendre la messe, comme le fit mon ancêtre, puis je reprendrai avec énergie la grande guerre que j'ai contre mes ennemis : je ne la négligerai pas. »

PARLÉ : RÉCIT ET DIALOGUE

À ces mots, Aucassin empoigna tous les draps qui recouvraient le roi et les lança à travers la chambre. Apercevant derrière lui un bâton, il alla le prendre, s'en revint et frappa : il battit le roi si dru qu'il faillit le tuer.

« Ah ! Ah ! cher seigneur, dit le roi, que voulez-vous de moi ? Avez-vous l'esprit dérangé pour me battre en ma propre maison ?

– Par le cœur de Dieu ! répondit Aucassin, sale fils de putain, je vous tuerai, si vous ne me promettez pas que jamais plus homme de votre terre ne restera couché après la naissance d'un enfant. »

Le roi le lui promit. La promesse faite,

« Seigneur, reprit Aucassin, menez-moi donc là où votre femme commande l'armée.

– Bien volontiers, seigneur », lui répondit le roi.

Il monta sur un cheval, et Aucassin sur le sien, tandis que Nicolette restait dans l'appartement de la reine. Le roi et Aucassin, à force de chevaucher, parvinrent à l'endroit où se trouvait la reine et tombèrent en pleine bataille de pommes de bois blettes, d'œufs et de fromages frais. Aucassin commença à les regarder, au comble de l'étonnement. »

Aucassin et Nicolette,
chantefable du début du XIIIᵉ siècle.

CINQUIÈME PARTIE

L'Inde

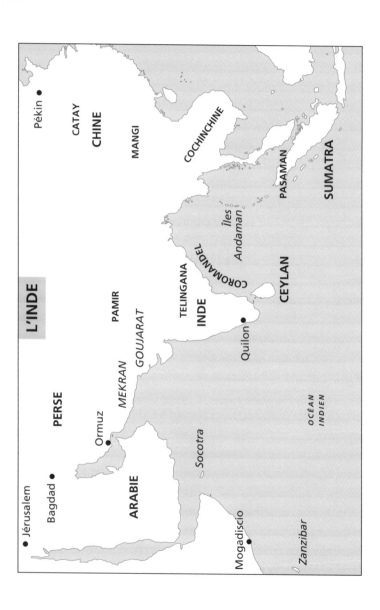

L'INDE

Ici commence le livre de l'Inde
avec la description de toutes les merveilles
qui y sont et des coutumes des habitants

Puisque nous avons parlé de tous les pays du continent comme vous avez entendu, nous laisserons ce sujet et commencerons à entrer en Inde pour passer en revue toutes les merveilles qui y sont et nous commencerons par les bateaux, à bord desquels les marchands vont et viennent en Inde.

Sachez que ces bateaux sont faits de la manière suivante : ils sont en bois de sapin et ont un pont ; sur ce pont, il y a bien, dans la majorité d'entre eux, quarante chambres, dans chacune desquelles un marchand peut séjourner tout à son aise. Ils ont un gouvernail et quatre mâts, et souvent, on ajoute deux mâts qui s'enlèvent et se mettent toutes les fois qu'on le désire. Ils sont cloués de la manière suivante : les planches sont doubles, c'est-à-dire qu'il y a deux planches l'une sur l'autre, elles sont passées à la chaux à l'extérieur et à l'intérieur et clouées avec des clous de fer.

On ne les passe pas à la poix parce qu'ils n'en ont pas ; ils les enduisent de la manière que je vais vous dire, vu qu'ils ont autre chose qui semble encore meilleur que la poix : ils prennent de la chaux vive et du chanvre qu'ils découpent finement, et ils le passent au pilon en ajoutant une huile végétale ; après avoir passé au pilon ces trois ingrédients ensemble, je peux vous dire que le tout a la consistance de la glu : avec cela, ils enduisent leurs bateaux et c'est aussi efficace que la poix.

Sachez que ces bateaux requièrent deux cents matelots, mais ils sont si grands qu'ils portent bien cinq mille sacs de poivre, certains même six mille ; j'ajoute qu'ils marchent aussi à l'aviron, mais à chaque aviron, il faut quatre matelots. Ces bateaux ont de si grosses barques que chacune peut transporter mille sacs de poivre ; elles portent quarante matelots et marchent à la rame ; souvent, elles aident à tirer le grand bateau. Celui-ci a deux de ces grandes barques, dont l'une est plus grande que l'autre, et aussi une dizaine de petites embarcations pour aider à l'ancrage, pêcher du poisson et faire le service pour le grand bateau. Celui-ci porte tous ces petits bateaux attachés dehors à son flanc, et j'ajoute que les deux grandes barques sont aussi munies de petites embarcations.

Je peux vous dire aussi que, lorsqu'on veut radouber les grands bateaux, c'est-à-dire lorsqu'ils ont navigué un an, voici ce qu'on fait : on cloue une autre planche sur les deux, sur toute la surface du bateau, ce qui fait qu'il y en a trois ; et puis on la passe à la chaux et on l'enduit. Pour radouber l'année suivante, on cloue une quatrième planche, et on va ainsi jusqu'à six planches.

Je vous ai décrit les bateaux dans lesquels les marchands vont et viennent en Inde, et donc nous partirons à bord de cette sorte de bateaux et vous conterons tout ce qui concerne l'Inde [...].

Le pays de Cochinchine

Sachez que lorsqu'on quitte le port de Quanzhou et qu'on navigue mille cinq cents milles vers l'ouest, un peu vers le sud-ouest, on arrive à un pays qui est appelé Cochinchine ; c'est une terre vaste et riche. Les habitants sont idolâtres, ont leur propre langue et sont gouvernés par un roi. Ce roi verse chaque année un tribut d'éléphants au Grand Khan : il ne lui donne rien d'autre que des éléphants et je vais vous en dire la raison.

C'est la vérité qu'en l'année 1278, le Grand Khan envoya un de ses barons qui s'appelait Soegetu, avec de nombreux soldats, tant cavaliers que fantassins, contre ce roi de Cochinchine; et il commença à lui livrer une grande guerre. Le roi, qui était très âgé et n'avait pas une si grande armée que celle du Grand Khan, ne pouvait pas assurer sa défense dans une bataille rangée, mais il était capable de résister dans les cités et les bourgs, qui étaient bien protégés, de sorte qu'ils ne redoutaient personne. Mais toutes les plaines et les hameaux étaient complètement ravagés et dévastés. Quand ce roi voit son adversaire semer la destruction dans son royaume, il en éprouve une grande douleur; il convoque aussitôt ses messagers et les envoie au Grand Khan avec le message que vous allez entendre.

Dès qu'ils furent arrivés devant lui, voici ce qu'ils lui dirent : « Seigneur, le roi de Cochinchine vous salue comme il le ferait pour son seigneur lige. Il vous fait savoir qu'il est âgé, qu'il a longtemps maintenu son royaume en paix. Il désire être votre homme et veut vous faire tribut chaque année d'une grande quantité d'éléphants. Il vous prie doucement et implore votre grâce afin que vous demandiez à votre baron et à vos soldats qui détruisent son royaume de quitter sa terre. »

Alors, les messagers se taisent et n'ajoutent aucune parole. Le Grand Khan, entendant ce que le vieux roi lui demande, est pris de pitié. Il donne aussitôt l'ordre à son baron et à ses soldats d'évacuer ce royaume et d'aller conquérir d'autres terres. Ceux-ci, exécutant l'ordre de leur seigneur, s'en allèrent sur-le-champ dans une autre région. Depuis, ce roi verse chaque année comme tribut au Grand Khan vingt éléphants, parmi les meilleurs et les plus beaux qu'il puisse trouver sur sa terre. C'est de cette façon qu'il devint le vassal du Grand Khan et qu'il lui paie tribut. Laissons ce sujet pour parler maintenant du roi et de sa terre.

Sachez que, dans ce royaume, aucune belle jeune fille ne peut se marier avant que le roi ne la voie. Si elle lui plaît, il l'épouse; sinon, il lui donne de l'argent pour qu'elle puisse se marier. Et je peux vous affirmer qu'en l'année 1285, moi, Marco Polo, j'y suis allé, et, à cette époque, le roi avait trois cent vingt-six enfants, tant filles que garçons, et, parmi eux, il y en avait bien cent cinquante capables de porter les armes.

Dans ce pays, il y a des éléphants en très grande quantité. Ils ont en abondance du bois d'aloès. Il y a de nombreuses forêts d'un bois qui s'appelle l'ébène, qui est très noir et dont on fait les pièces du jeu d'échecs et les encriers.

Comme il n'y a rien d'autre à mentionner dans notre livre, nous partirons de là et irons de l'avant pour vous parler d'une grande île qui s'appelle Sumatra.

La grande île de Sumatra

Sachez que, lorsqu'on quitte la Cochinchine et qu'on parcourt mille cinq cents milles, sud-sud-est, on arrive à une très grande île qui s'appelle Sumatra et, selon les bons marins qui s'y connaissent, ce serait la plus grande île du monde : elle fait plus de trois mille milles de tour. Ses habitants sont idolâtres ; elle est gouvernée par un puissant roi qui ne verse tribut à personne. Cette île est extrêmement riche : ils ont du poivre, de la noix de muscade, du nard[1], du galanga[2], des cubèbes[3], du girofle[4] et de toutes les épices précieuses que l'on peut trouver par le monde. Viennent à cette île de très nombreux bateaux de marchands : ils y achètent une grande quantité de produits et réalisent de gros bénéfices.

Dans cette île, il y a une si grande richesse que personne au monde ne saurait la décrire. Je peux vous dire que le Grand Khan ne put jamais s'emparer de ce pays à cause de la route longue et dangereuse qu'il faut parcourir sur mer pour l'atteindre. De cette île, les

1. Nard : parfum extrait d'une fleur poussant surtout en Inde.
2. Galanga : racine aromatique d'une plante poussant surtout en Inde.
3. Cubèbe : arbuste d'Insulinde voisin du poivrier, dont les fruits contiennent des essences jadis utilisées comme médicaments.
4. Girofle : bouton desséché des fleurs du giroflier, dit aussi clou de girofle, utilisé en cuisine comme condiment.

marchands de Quanzhou et du Mangi ont déjà tiré beaucoup de richesses et ils en tirent encore à ce jour.

Après vous avoir parlé de cette île, nous n'en dirons pas davantage et vous raconterons ce qu'on trouve plus loin [...].

Sumatra (suite)[1]

Sachez que, lorsqu'on quitte le royaume de Pasaman, on trouve celui de Sumatra qui est en cette même île. J'y ai séjourné moi-même, Marco Polo, pendant cinq mois, à cause du temps qui ne nous permettait pas de poursuivre notre route. Et je peux vous dire que l'étoile Polaire n'apparaît pas du tout, ni même la Grande Ourse. Les habitants sont des idolâtres aux mœurs très sauvages qui ont un roi riche et puissant et qui se réclament du Grand Khan. Nous demeurâmes ainsi cinq mois : nous descendîmes des bateaux et fîmes à terre des fortifications avec du bois et des poutres, par crainte de ces hommes bestiaux qui sont cannibales. La mer abonde en poissons qui sont les meilleurs du monde ; ils n'ont pas de blé mais se nourrissent de riz ; ils n'ont pas de vin, si ce n'est celui que je vais vous

1. Dans ces chapitres, Marco Polo ne quitte pas l'île de Sumatra mais il en décrit les divers royaumes.

décrire : sachez qu'ils ont une espèce d'arbres, dont ils coupent les branches, et l'on place un grand pot sous le tronçon de l'arbre qui est resté ; en un jour et une nuit, le pot se remplit, et c'est un excellent vin. Les arbres sont semblables à de petits palmiers-dattiers ; ils ont quatre branches, on en coupe une et on obtient autant de vin que je vous ai dit, qui est très bon. J'ajoute autre chose : quand ces branches ne laissent plus couler de vin, on prend de l'eau et on en jette au pied de l'arbre ; quelque temps après, les branches font couler le vin ; et je peux vous dire qu'il y en a du blanc et du rouge. Ils ont une énorme quantité de noix muscades, très grosses et excellentes. Ils mangent toutes sortes de viande, des bonnes et des mauvaises [...].

CHAPITRE CLXXIII

L'île de Ceylan

Quand on quitte l'île d'Andaman et que l'on parcourt environ mille milles vers l'ouest, et un peu moins vers le sud-ouest, on trouve l'île de Ceylan, qui est certainement la meilleure île de sa taille qui soit au monde, je vais vous dire pourquoi. Elle fait environ deux mille quatre cents milles de tour. Autrefois, elle était plus grande et mesurait trois mille six cents milles de circonférence, selon ce qui est indiqué sur les mappemondes des marins qui naviguent sur cette mer. Mais le vent du nord y souffle si fort qu'il a fait s'effondrer sous l'eau une grande partie de l'île ; c'est la raison pour laquelle elle n'est plus aussi étendue qu'autrefois.

Je vais vous conter tout ce qui concerne cette île. Le roi est appelé Sendemain. Les habitants sont idolâtres et ne versent tribut à personne. Ils vont tout nus, se couvrant seulement le sexe. Ils n'ont pas de céréales, à l'exception du riz ; ils ont du sésame dont ils font leur huile. Ils se nourrissent de lait, de viande et de riz. Ils ont du vin tel que je vous l'ai décrit un peu plus haut. Ils ont aussi du brésil[1] en grande quantité et qui est le meilleur du monde.

Maintenant, nous laissons cela et vous parlerons de la chose la plus précieuse du monde. C'est en effet de cette île que sont originaires les magnifiques rubis, d'excellente qualité ; on ne les trouve nulle part ailleurs. Il y a aussi des saphirs, des topazes, des améthystes et beaucoup d'autres bonnes pierres. Et je peux vous dire que le roi de ce pays a le plus beau rubis du monde, tel qu'on n'en a jamais vu de plus beau et qu'on n'en verra jamais ; je vais vous décrire comment il est fait. Sachez qu'il a une longueur d'une paume à peu près et il est bien aussi gros que le bras d'un homme. C'est la chose du monde la plus resplen-

---

1. Brésil : bois rouge, autrefois utilisé en teinture. Le nom de ce bois exotique a été dérivé du substantif *braise*, en raison de sa couleur d'un rouge ardent. Quant au Brésil, il tire son nom de la grande quantité d'arbres fournissant ce bois que les Portugais et les Espagnols y découvrirent quand ils y abordèrent.

dissante au regard. Il n'a aucune tache et est vermeil comme le feu. Il a une valeur si élevée qu'on pourrait difficilement l'acheter avec de l'argent.

Je peux vous assurer que le Grand Khan a envoyé ses messagers à ce roi pour lui faire savoir qu'il désirait acheter le rubis et que, s'il acceptait de le lui remettre, il lui ferait donner l'équivalent de la valeur d'une ville. Mais le roi répondit qu'il ne le donnerait pour rien au monde parce qu'il l'avait reçu de ses ancêtres ; pour cette raison, le Grand Khan ne put l'obtenir. Les hommes ne sont pas vaillants aux armes, mais plutôt misérables et peu courageux ; s'il leur arrive d'avoir besoin de soldats, ils font appel à des étrangers, en particulier à des Sarrasins [...].

CHAPITRE CLXXV

Le royaume de Telingana

Telingana est un royaume que l'on trouve après avoir quitté le Coromandel et parcouru environ mille milles vers le nord. Ce royaume appartient à une reine, de grande sagesse, car sachez qu'il y a bien quarante ans que le roi, son mari, est mort, mais comme elle l'aimait beaucoup, elle a toujours refusé de prendre un autre mari, depuis que celui qu'elle aimait plus qu'elle-même est mort. Pendant toute cette période, je peux vous dire qu'elle a bien gouverné son royaume, selon la justice et le droit, aussi bien que l'avait fait son mari, et je peux vous assurer qu'elle est plus aimée de ses sujets que jamais ne le fut dame ou seigneur parmi eux.

Les habitants sont idolâtres et ne versent tribut à personne. Ils se nourrissent de riz, de viande et de lait. Dans ce royaume, on récolte les diamants, je vais vous dire comment.

Sachez que, dans le pays, il y a de nombreuses montagnes où l'on va chercher les diamants, de la façon suivante : quand il pleut, l'eau descend en courant de ces montagnes, creusant profondément le sol et faisant de grandes rigoles et de grandes cavernes ; quand la pluie a cessé et que l'eau est partie, les hommes se mettent alors à la recherche des diamants dans ces fossés par lesquels l'eau est venue et ils en trouvent une grande quantité. L'été aussi, ils en ramassent beaucoup, mais on ne saurait trouver une seule goutte d'eau et il fait une si grande chaleur qu'on peut difficilement la supporter.

Or, je peux vous dire que, dans ces montagnes, il y a une telle multitude d'énormes serpents que les hommes ne peuvent y aller, sinon avec beaucoup de crainte. Toutefois, ils y vont comme ils peuvent et ils trouvent des diamants gros et d'excellente qualité. Je peux vous dire que ces serpents sont très venimeux et très féroces, si bien que les hommes n'osent pas aller dans les grottes où sont les serpents. J'ajoute que l'on peut aussi obtenir les diamants d'une autre manière. Sachez en effet qu'il y a une grande vallée très profonde, où le terrain tout alentour est si accidenté que personne ne peut y accéder. Les gens procèdent donc de la façon suivante. Ils prennent de nombreux morceaux de viande et les jettent dans cette profonde vallée ; ces morceaux de viande, en tombant, heurtent les diamants qui sont très nombreux et se fichent dedans.

Or, dans ces montagnes, demeurent de nombreux aigles blancs qui se nourrissent des serpents ; lorsqu'ils voient la viande jetée au fond de la vallée, ils vont la chercher et la transportent ailleurs. Les hommes, qui ont observé attentivement les aigles pour savoir où ils sont allés, dès qu'ils voient les oiseaux se poser et becqueter la viande, y vont le plus vite possible. Les aigles s'en vont alors ailleurs, sans emporter la viande par crainte des hommes qui sont arrivés sur eux de façon si soudaine ; ceux-ci prennent la viande et y trouvent de nombreux diamants qui s'y sont enfoncés. Il existe encore une autre manière d'obtenir ces diamants : en effet, lorsque les aigles mangent ces viandes, ils becquettent aussi les diamants qui sont dedans. Et la nuit, là où les aigles retournent, ils rejettent les diamants qu'ils ont becquetés, en même temps que leurs excréments. Les hommes y vont, recueillent les excréments des aigles et y trouvent un grand nombre de diamants.

Ainsi, vous avez entendu quelles sont les trois façons de trouver les diamants ; sachez que c'est dans ce seul royaume qu'on les trouve, mais là, ils sont de bonne qualité et nombreux. Et n'allez pas croire que ces diamants de qualité arrivent jusqu'à nous, dans les pays chrétiens ; ils sont apportés au Grand Khan, ainsi qu'aux rois et barons de ses divers royaumes et régions, car ce sont eux qui possèdent la plus grande richesse et achètent toutes ces pierres coûteuses.

CHAPITRE CLXXVII

Le pays de Lar
d'où sont les Brahmanes

Lar est un pays vers l'ouest, où on arrive après avoir quitté l'endroit où a vécu l'apôtre saint Thomas[1] et dont tous les Brahmanes du monde sont originaires. Je peux vous dire que ces Brahmanes sont les meilleurs marchands du monde et ceux auxquels on peut faire le plus confiance, car jamais ils ne mentiraient et ne disent rien que la vérité. Ils ne mangent pas de viande ni ne boivent de vin et mènent une vie très honnête, selon leurs usages ; ils ne commettent pas le péché de luxure, sauf avec leurs femmes, ne volent pas, ne tuent

1. Lar… saint Thomas : il s'agit du Coromandel, où serait venu prêcher saint Thomas selon la légende que Marco Polo expose dans le chapitre CLXXVI.

pas d'animaux, ne feraient rien qui pût être considéré comme une mauvaise action.

Je peux vous dire que tous les Brahmanes se reconnaissent à un signe qu'ils portent : tous en effet ont un fil de coton sur l'épaule et ils l'attachent à l'autre bras, de sorte que le fil passe sur la poitrine et dans le dos ; c'est par ce signe qu'ils sont reconnus partout où ils vont. Je peux vous dire qu'ils ont un roi très riche et puissant, qui achète très volontiers perles et pierres précieuses. Il a passé un accord avec tous les marchands du pays, selon lequel il leur paiera deux fois leur valeur les perles que ceux-ci ramènent du royaume de Coromandel [...]. Ainsi, les Brahmanes vont au royaume de Coromandel, achètent toutes les perles de bonne qualité qu'ils y trouvent et puis les lui apportent, lui indiquant le prix exact qu'ils les ont payées : le roi leur fait aussitôt donner deux fois leur prix, jamais moins. De cette manière, ils lui ont apporté une très grande quantité de perles, grosses et de très bonne qualité.

Les Brahmanes sont idolâtres et ils observent les présages, tant de bêtes que d'oiseaux, plus que toute autre personne au monde. Je vais vous dire une partie de ce qu'ils font.

Sachez qu'ils ont entre eux la coutume suivante : à tous les jours de la semaine, ils attribuent un signe de la façon suivante. S'ils sont en train de conclure un marché pour quelque marchandise, celui qui veut l'acheter se lève et dit : «Quel jour est-on? – Tel jour.» Alors, il fait mesurer son ombre, et si son ombre est aussi longue qu'elle doit l'être ce jour-là, il conclut le marché; sinon, il ne le conclut pas mais attend que l'ombre ait atteint le point qu'ils ont établi dans leur loi. Et, de la même façon que je vous ai indiqué pour ce jour-ci, de même, ils ont établi pour tous les jours de la semaine de quelle longueur doit être leur ombre [...].

Je peux vous dire aussi que, quand ils concluent un marché, s'il leur arrive d'apercevoir une tarentule[1] – et elles sont en très grande quantité –, s'ils voient qu'elle vient d'un côté qui leur semble favorable, ils achètent la marchandise immédiatement; si elle ne vient pas du bon endroit, ils abandonnent la transaction et ne font pas d'achat. Quand ils sortent de chez eux et qu'ils entendent éternuer quelqu'un, si cela ne leur semble pas favorable, ils s'arrêtent et ne poursuivent pas leur chemin. Si, sur leur chemin, ils voient venir vers eux une hirondelle, par devant ou par la gauche ou par la droite, si d'après leurs coutumes l'hirondelle est venue d'un côté favorable, ils continuent, sinon, ils rebroussent chemin.

Ces Brahmanes vivent plus longtemps que les autres hommes; ceci est dû au fait qu'ils mangent peu et font grande abstinence. Leurs dents sont très saines

---

1. Tarentule : énorme araignée.

grâce à une herbe qu'ils ont l'habitude de manger[1], qui fait beaucoup de bien au corps. Sachez que ces Brahmanes ne se font pas de saignées aux veines et ne retirent pas de sang de leur corps.

Parmi eux, il y a des religieux qui sont appelés *yogis*, qui vivent plus longtemps encore que les autres, de cent cinquante à deux cents ans, et pourtant, ils continuent de bien se porter, de sorte qu'ils peuvent se déplacer à leur gré et font tout ce qui convient à leur état, en particulier les rites en l'honneur des idoles, qu'ils servent aussi bien que s'ils étaient plus jeunes. Cela vient du fait qu'ils mangent peu et seulement de bonnes nourritures : en effet, ils se nourrissent avant tout de riz et de lait. Je peux vous dire aussi que ces *yogis*, qui vivent si vieux, absorbent encore une chose qui vous paraîtra bien étonnante : ils prennent du vif argent et du soufre, les mêlent ensemble et en font un breuvage qu'ils boivent ensuite. Ils disent que cela allonge la vie, et je peux vous dire qu'ils en boivent deux fois par mois, et ce, depuis l'enfance, afin de vivre davantage.

Dans le royaume de Coromandel, il y a une autre sorte de *yogis*, qui pratiquent une grande abstinence et mènent une vie très austère. Sachez qu'ils vont tout nus, ne portent aucun vêtement sur eux, de sorte qu'ils ne cachent même pas leur sexe ni aucun de leurs membres. Ils adorent le bœuf et la majorité d'entre

---

1. Herbe... manger : il s'agit sans doute de feuilles de bétel.

eux portent un petit bœuf de cuivre ou de bronze doré au milieu du front : comprenez qu'ils se le font attacher en cet endroit.

Je peux vous dire aussi qu'ils font brûler les excréments du bœuf et en font une poudre dont ils s'enduisent plusieurs parties du corps avec un grand respect, aussi grand que font les chrétiens quant ils s'aspergent d'eau bénite. Ils ne mangent pas leur nourriture dans des assiettes ou des tailloirs, mais sur des feuilles de pommiers de paradis ou d'autres feuilles de grande dimension ; toutefois, ces feuilles ne sont pas vertes, mais sèches, car ils disent que les vertes ont une âme, et donc ce serait péché. Je vous assure en effet qu'ils évitent plus que tout autre homme de faire quelque chose dont ils pensent que ce soit péché.

Quand on leur demande pourquoi ils vont nus et s'ils n'ont pas honte de montrer leur sexe, ils répondent : « Nous allons nus parce que nous désirons ne rien posséder et que nous sommes venus au monde nus et sans vêtements. Si nous n'avons aucune honte de montrer notre sexe, c'est que nous ne faisons aucun péché avec lui et, pour cette raison, nous n'avons pas plus de honte à le montrer que vous n'en avez à montrer votre main, votre visage ou vos autres membres avec lesquels vous ne pouvez commettre le péché de luxure. C'est parce que vous vous servez de votre sexe pour le péché et la luxure que vous le portez couvert et que vous en avez honte. Mais nous, nous n'en avons pas plus honte que de montrer nos doigts puisque nous ne nous en servons pas pour de mauvaises actions. » Voilà le discours qu'ils tiennent à ceux qui leur demandent pourquoi ils n'ont pas honte de montrer leur sexe.

Je peux vous dire encore qu'ils ne tueront aucune créature ni aucun animal, ni mouches, ni puces, ni poux, ni vers, parce qu'ils disent qu'ils ont une âme et que ce serait un péché. De même, ils ne mangent rien de vert, ni herbes, ni racines, jusqu'à ce qu'elles soient sèches, car ils disent que les végétaux ont une âme. J'ajoute qu'ils dorment à même le sol, tout nus, sans rien avoir dessous ni dessus. Et c'est tout à fait étonnant qu'ils ne meurent pas et vivent aussi long-temps que je vous l'ai dit. Ils observent aussi de longues périodes de jeûne tous les ans, buvant seulement de l'eau.

J'ajouterai encore quelque chose : ils ont des religieux qui demeurent dans les monastères pour servir les idoles et on les met à l'épreuve comme je vais vous le dire. Ils font venir les jeunes filles qui sont offertes aux idoles et on demande à ces jeunes filles de caresser ces hommes qui ont la garde des idoles. Elles les caressent çà et là en de nombreuses parties du corps, puis les embrassent et leur font des choses très agréables. Si l'homme qui est ainsi caressé par les jeunes filles reste insensible et que son sexe ne remue pas mais reste tel qu'il était avant, alors il est jugé digne et ils le gardent avec eux. En revanche, si l'homme a son membre qui remue et se dresse, on ne le garde pas et on le chasse tout aussitôt, car ils disent qu'ils ne veulent pas garder avec eux un homme enclin à la luxure.

Ce sont des idolâtres cruels et perfides puisqu'ils disent que la raison pour laquelle ils font brûler les morts est la suivante : s'ils ne les faisaient pas brûler, ils produiraient des vers et, lorsque les vers auraient mangé ce corps à partir duquel ils sont nés, ils n'auraient plus rien à manger ; il leur faudrait alors mourir. Or, disent-ils, l'âme de ce corps serait en grand péché d'avoir causé la mort de ces vers. C'est la raison qu'ils invoquent pour expliquer qu'ils font brûler les morts ; et ils disent que les vers eux aussi ont une âme.

Maintenant que nous vous avons décrit les coutumes de ces idolâtres, nous partirons de là et vous conterons une belle histoire que nous avions oubliée lorsque nous avons parlé de l'île de Ceylan, et elle vous semblera bien étonnante.

CHAPITRE CLXXVIII

L'île de Ceylan (suite)

Ceylan est une grande île, comme je vous l'ai indiqué plus haut. Or c'est la vérité que, dans cette île, il y a une montagne très haute dont les roches alentour sont si abruptes que personne ne peut la gravir, sinon de la manière que je vais vous dire. À cette montagne sont suspendues de nombreuses chaînes de fer, placées de telle façon que les hommes peuvent monter par ces chaînes jusqu'au sommet de la montagne. Or, selon eux, sur cette montagne se trouve le monument d'Adam, notre premier père.

Les Sarrasins prétendent que le tombeau qui est là est celui d'Adam, mais, selon les idolâtres, il s'agit du monument de Bouddha Sakyamouni. C'est le premier homme qui fut idolâtre, car, selon leurs croyances, ce fut le meilleur homme qui jamais vécut parmi eux. Ce fut donc le premier homme qu'ils considérèrent comme saint et pour lequel ils firent les premières idoles. C'était le fils d'un roi puissant et riche ; ce fils était de si bonnes mœurs qu'il ne voulait entendre parler de choses mondaines et refusait de devenir roi. Son père en avait grand chagrin, et pour le convaincre, il lui fit de grandes promesses : il lui dit qu'il voulait le couronner roi mais qu'il aurait régné comme il le désirait, et aussi qu'il voulait lui laisser le trône, mais qu'il n'aurait rien eu à commander, que simplement il aurait été le maître du royaume.

Son fils disait qu'il ne voulait rien et, lorsque le père vit qu'il refusait absolument le pouvoir, son chagrin fut tel qu'il faillit en mourir de douleur. Et il ne faut pas s'en étonner car il n'avait pas d'autre fils que lui et n'avait personne à qui laisser le royaume. Le roi résolut le problème de la façon suivante : il se dit qu'il agirait de telle façon envers son fils que celui-ci se convertirait volontiers aux choses mondaines et accepterait la couronne et le royaume. Il le fit donc demeurer dans un palais magnifique, lui donna trois mille jeunes filles très belles et avenantes pour le servir, sans qu'il y ait d'autre présence masculine que lui. Les jeunes filles le mettaient au lit, le servaient à table et lui faisaient sans cesse compagnie. Elles chantaient et dansaient devant lui, lui donnant tout l'agrément qu'elles pouvaient, comme le roi le leur avait commandé. Mais je peux vous assurer que toutes ces jeunes filles eurent beau faire, le fils du roi ne s'abandonna à aucun plaisir des sens et demeura encore plus ferme et plus chaste qu'il ne l'était auparavant, menant très bonne vie, selon leurs usages. Je peux vous dire que c'était un jeune homme si délicat qu'il n'était jamais sorti du palais et n'avait jamais vu un mort ou un malade, car son père ne laissait aller devant lui ni personne âgée ni personne malade.

Or il arriva qu'un jour il sortit et chevauchait dans la rue lorsqu'il vit un homme mort. Il en resta stupéfait, comme quelqu'un qui n'en avait jamais vu, et demanda aussitôt à ceux qui l'accompagnaient ce que c'était. On le lui dit. « Comment, dit le fils du roi, tous les hommes meurent donc ? – Oui, assurément », lui répondirent-ils. Le jeune homme se tut et chevaucha très pensif. Après avoir chevauché un moment, il rencontra un très vieil homme qui n'arrivait pas à marcher et n'avait plus de dents, les ayant toutes perdues à cause de son grand âge.

Quand le fils du roi vit ce vieillard, il demanda ce que c'était et pourquoi il ne pouvait marcher : ceux qui l'accompagnaient lui expliquèrent que c'était la vieillesse qui l'empêchait de marcher et avait fait tomber ses dents. Quand le fils du roi eut appris ce qu'il en était au sujet du mort et du vieillard, il revint au palais, décidé à ne plus demeurer dans ce monde rempli de mal. Il décida d'aller à la recherche de celui qui jamais ne meurt et qui a tout créé. Il quitta donc le palais et son père et partit habiter dans des montagnes très hautes et isolées. Là, il demeura toute sa vie, se conduisant très honnêtement et chastement et observant une très grande abstinence. Assurément, s'il avait été chrétien, il aurait été un grand saint avec notre seigneur Jésus-Christ.

Quand le fils du roi mourut, on porta son corps au roi son père. Inutile de demander s'il eut du chagrin lorsqu'il vit qu'était mort celui qu'il aimait plus que lui-même. Il manifesta sa douleur puis fit faire une statue à sa ressemblance, tout en or et en pierres précieuses, et il la fit honorer par tous ceux du pays et adorer comme dieu. On disait qu'il était mort quatre-vingt-quatre fois : en effet, selon eux, quand il mourut la première fois, il devint bœuf, et puis il mourut une deuxième fois et devint cheval. Ils disent qu'ainsi, il est mort quatre-vingt-quatre fois et qu'à chaque fois, il est devenu un animal, un chien ou une autre bête. Mais la quatre-vingt-quatrième fois, il est mort et est devenu dieu. Les idolâtres le considèrent comme le meilleur dieu et le plus grand qu'ils aient. Sachez que ce fut la première idole que les idolâtres ont eue et c'est d'elle que sont venues toutes les autres. Cela se passait dans l'île de Ceylan en Inde.

Vous avez entendu comment la première idole fut instituée. Et je peux vous dire que les idolâtres y viennent de très loin en pèlerinage, de même que les chrétiens vont voir Saint-Jacques[1] en pèlerinage. Ces idolâtres disent que le monument qui est sur la montagne est celui du fils du roi dont je vous ai parlé, et que les dents, les cheveux et l'assiette qui s'y trouvent appartenaient aussi au fils du roi qui s'appelait Bouddha Sakyamouni, c'est-à-dire saint Sakyamouni. En revanche, les Sarrasins, qui viennent aussi en très grand nombre en pèlerinage dans ce lieu, disent que c'est le monument d'Adam, notre premier père, et que les cheveux, les dents et l'assiette appartiennent aussi à Adam [...]. Dieu sait qui c'est et quel il fut, mais nous ne croyons pas qu'Adam soit en ce lieu, car nos saintes Écritures disent qu'il est dans une autre partie du monde.

Or, il arriva que le Grand Khan apprit que sur cette montagne se trouvait le monument d'Adam et qu'il y

---

1. Les chrétiens... Saint-Jacques : il s'agit de Saint-Jacques-de-Compostelle, en Espagne.

avait aussi ses dents, ses cheveux et l'assiette où il mangeait. Il pensa qu'il lui fallait posséder ces reliques. Il envoya donc des messagers : c'était en l'année 1284. Qu'en dirai-je ? Sachez assurément que les messagers du Grand Khan se mirent en chemin en compagnie d'une foule de gens et voyagèrent si longtemps sur mer et sur terre qu'ils parvinrent à l'île de Ceylan. Ils se rendirent auprès du roi et firent tant et si bien qu'on leur donna les deux molaires, qui étaient très grosses, quelques cheveux et l'assiette. Celle-ci était d'un très beau porphyre de couleur verte. Quand les messagers eurent obtenu ces reliques, ils se remirent en chemin et retournèrent auprès de leur seigneur. Arrivés près de la grande ville de Pékin où était le Grand Khan, ils lui firent savoir qu'ils approchaient et ramenaient ce qu'il leur avait demandé. Le Grand Khan commanda alors à tous les gens, religieux et autres, d'aller à la rencontre de ces reliques, dont on leur disait qu'elles étaient celles d'Adam.

Pourquoi allonger le récit ? Sachez que tous les habitants de Pékin s'y rendirent et les religieux reçurent les reliques puis les apportèrent au Grand Khan qui les reçut avec des manifestations de joie, de fête et de respect. Et je peux vous dire qu'ils trouvèrent dans leurs textes sacrés que l'assiette avait telle vertu que, si l'on y mettait de la nourriture pour un homme, il y en aurait eu assez pour cinq. Le Grand Khan dit qu'il en avait fait faire l'expérience et que telle était bien la vérité.

C'est de cette manière que le Grand Khan obtint ces reliques qui lui coûtèrent une très forte somme d'argent.

Le royaume de Quilon

Quilon est un royaume que l'on trouve dans la direction du sud-ouest en quittant le Coromandel et après avoir parcouru cinq cents milles. Les habitants sont idolâtres, mais il y a aussi des chrétiens et des juifs. Ils ont une langue spécifique. Le roi ne verse tribut à personne. Je vais maintenant vous décrire tout ce qui se trouve dans ce royaume et ce qu'il produit.

Sachez que le brésil quilonin en est originaire ; il est d'excellente qualité. Il y pousse aussi du poivre en très grande quantité. On le récolte du mois de mai à juin ou juillet. Je peux vous dire que les arbustes qui donnent le poivre se plantent et qu'on les arrose : ce sont des arbres cultivés. Ils ont de l'indigo en abondance, d'excellente qualité, qui s'obtient à partir d'une herbe : ils prennent cette herbe, la mettent dans de grandes bassines où ils versent de l'eau, puis attendent que cette herbe se dissolve. Ils laissent alors ces récipients au soleil ; celui-ci est si chaud que le mélange ne tarde pas à bouillir et forme une pâte, qui prend l'aspect que vous voyez.

Je peux vous dire que dans cette région, il fait si chaud et le soleil est si brûlant que l'on peut à peine le supporter : je vous assure que si vous mettez un œuf dans quelque rivière, il est cuit avant même que vous vous soyez un peu éloigné. Sachez encore que viennent à ce royaume les marchands du Mangi, d'Arabie et du Levant avec leurs bateaux et qu'ils font un très grand commerce de marchandises, qu'ils apportent de leur pays ou qu'ils emportent de là sur leurs navires.

Il y a de nombreux animaux de diverses espèces qui diffèrent de tous les autres animaux du monde : je peux vous dire qu'il y a des lions tout noirs, sans tache d'autre couleur, des perroquets de diverses sortes, dont certains sont blancs comme neige avec les pattes et le bec rouges, d'autres qui sont bleus et rouges et offrent le plus beau spectacle du monde, d'autres encore qui sont tout petits mais sont aussi très beaux. Il y a aussi des paons plus grands et plus beaux que les nôtres, ainsi que des poules différentes de celles que nous connaissons.

Que pourrais-je en dire ? Tout ce qu'ils ont est différent, meilleur et plus gros. Aussi bien leurs fruits que leurs bêtes et leurs oiseaux ne ressemblent pas aux nôtres, et la cause en est l'extrême chaleur qu'il fait. Ils n'ont pas de céréales, à l'exception du riz. Ils font du vin avec la canne à sucre : c'est une excellente boisson qui enivre beaucoup plus vite que le vin fait avec les raisins. Ils ont en grande quantité tout ce qui est nécessaire à la subsistance et ils en font grand commerce.

Leurs astrologues sont nombreux et réputés. Ils ont aussi des médecins très compétents et efficaces.

Ils sont tout noirs, les hommes comme les femmes et vont tout nus, sauf qu'ils couvrent leur sexe avec de très beaux tissus. Ils ne considèrent pas la luxure ni le péché de chair comme un acte répréhensible. Les mariages se font de la manière suivante : ils peuvent épouser leur cousine germaine ou la femme de leur père s'il meurt ou la femme de leur frère. C'est une coutume commune à tous les Indiens [...].

CHAPITRE CLXXXIV

Le royaume de Goujarat

Le Goujarat est un grand royaume dont les habitants sont idolâtres et ont une langue propre. Ils sont gouvernés par un roi et ne versent tribut à personne. Le pays est situé vers l'ouest et l'étoile Polaire se voit encore davantage depuis ce royaume[1] : elle semble en effet à une hauteur de six coudées.

On trouve dans ce royaume les plus grands corsaires du monde et je peux vous dire qu'ils font une chose particulièrement détestable : en effet, quand ils capturent des marchands, ils leur donnent à boire

---

1. Le pays... royaume : Marco Polo avait en effet signalé que de certains pays situés plus au sud, on ne voyait pas l'étoile Polaire.

du tamarin[1] et de l'eau de mer, de sorte que les marchands ont la diarrhée et se vident de tout ce qu'ils ont dans le ventre. Les corsaires font ramasser et examiner tout ce que rejettent ainsi les marchands, afin de voir s'il n'y pas de perles ou de pierres précieuses, car ils prétendent que, lorsque les marchands sont capturés, ils avalent les perles et les pierres de valeur pour ne pas que les corsaires les trouvent. C'est la raison pour laquelle ces corsaires détestables donnent aux marchands ce breuvage.

Ils ont du poivre en abondance, beaucoup de gingembre et de l'indigo. Ils ont aussi du coton en grande quantité : en effet, les arbustes qui font le coton sont très hauts dans ce pays ; ils font bien six pas, quand ils ont une vingtaine d'années. Toutefois, quand les arbustes sont très vieux, le coton qu'ils produisent n'est pas utilisé pour filer mais ils en font de la ouate et ils s'en servent pour remplir les matelas. En effet, ces arbres jusqu'à l'âge de douze ans font un bon coton à filer, mais de douze à vingt ans, ce coton est d'une qualité inférieure.

Dans ce royaume, on tanne une énorme quantité de peaux ; ils apprêtent ainsi le cuir des chèvres, des buffles, des bœufs sauvages, des unicornes[2] et de nombreuses autres bêtes. Je peux vous assurer qu'ils en pré-

---

1. Tamarin : de l'arabe *tamarhendi*, « datte indienne ». Le tamarinier est un arbre des régions tropicales dont le fruit est utilisé comme laxatif.
2 Unicornes : ce sont les hippopotames.

parent une telle quantité qu'ils peuvent en remplir chaque année de nombreux navires, qui vont en Arabie et ailleurs, car de là ils en expédient dans de nombreux royaumes et pays. J'ajoute qu'ils font aussi de très belles nattes de cuir rouge, gravées de motifs d'oiseaux et de bêtes, qui sont cousues très finement avec un fil d'or et d'argent ; elles sont si belles à voir que c'est une merveille ; et comprenez que ces nattes sont des peaux que les Sarrasins utilisent pour s'y coucher et elles sont très confortables pour dormir. Ils font aussi des coussins, cousus avec un fil d'or, si beaux qu'ils valent bien six marcs d'argent. Quant aux nattes dont je vous ai parlé, certaines valent bien dix marcs d'argent.

Que dire de plus ? Sachez assurément que, dans ce royaume, on fabrique les ouvrages en cuir avec plus d'art et d'habileté que partout ailleurs dans le monde et qu'ils valent davantage [...].

CHAPITRE CLXXXIX

Les îles Mâle et Femelle

L'île qui est appelée Mâle se trouve en haute mer, à bien cinq cents milles vers le sud quand on part du Mekran. Les habitants sont des chrétiens qui ont reçu le baptême et qui observent la loi et les principes de l'Ancien Testament. Ainsi, quand une femme est enceinte, son mari ne la touche pas jusqu'à ce qu'elle ait accouché, et il attend encore quarante jours, après quoi il peut faire ce qu'il veut.

Mais je peux vous dire que ni les épouses ni les autres dames ne demeurent en cette île : en effet, elles habitent dans une autre île qui est appelée Femelle. Sachez que les hommes de la première île vont à la seconde et y séjournent pendant trois mois, à savoir mars, avril et mai. Pendant ces trois mois où les hommes rejoignent leurs femmes dans l'île Femelle, ils prennent tout leur plaisir avec elles, puis s'en retournent dans leur île et s'occupent de gagner leur vie pendant les neuf mois suivants.

Je peux vous dire que, dans cette île, on trouve de l'ambre, très pur et très beau. Ils se nourrissent de riz, de viande et de lait. Ce sont d'excellents pêcheurs, car sachez que dans cette mer on prend beaucoup de bon poisson et si abondamment qu'ils en font sécher une grande quantité, de sorte qu'ils peuvent s'en nourrir pendant toute l'année et, encore, ils en vendent aux habitants d'autres pays. Ils n'ont pas de seigneur, hormis un évêque qui dépend de l'archevêque de Socotra. Ils ont une langue spécifique.

Sachez que, de cette île jusqu'à celle où demeurent les femmes, il y a environ trente milles. Ils disent qu'ils ne pourraient pas vivre avec leurs épouses toute l'année. C'est la mère qui élève les enfants qui naissent dans l'île Femelle, mais dès que le fils a quatorze ans, sa mère l'envoie à son père dans l'île Mâle. Telle est la coutume de ces deux îles, comme vous l'avez entendue. Les femmes ne font rien, sinon élever leurs enfants et récolter les fruits qui poussent sur cette île […].

L'île de Mogadiscio

Mogadiscio est une île située vers le sud, distante de Socotra d'environ mille milles. Les habitants sont sarrasins et adorent Mahomet ; ils ont quatre *cheikhs* – ce qui signifie vieils hommes – qui gouvernent tout le pays. Cette île est bien la plus remarquable et la plus grande qui soit au monde : on dit en effet qu'elle fait environ quatre mille milles de tour. Les habitants vivent de commerce et d'artisanat.

Je peux vous dire que dans l'île naissent plus d'éléphants que partout ailleurs et sachez que, dans le monde entier, on ne vend ni n'achète plus de dents d'éléphants que dans cette île et dans celle de Zanzibar. Sachez en outre qu'on ne mange d'autre viande que celle de chameau et que chaque jour on en tue une telle quantité que personne ne pourrait le croire à moins de le voir. Ils prétendent que cette viande de chameau est meilleure et plus saine que toutes les autres : c'est pourquoi ils ont l'habitude d'en manger pendant toute l'année. Sachez encore que, dans cette île, on trouve les arbres de santal rouge, aussi grands que sont les arbres de nos pays : ce bois vaut très cher dans les autres pays, mais, chez eux, il est aussi abondant que chez nous le bois d'arbres sauvages. Ils ont beaucoup d'ambre parce que, dans cette mer, les baleines sont très nombreuses, de même que les cachalots : ils en capturent un grand nombre, ce qui leur permet d'avoir beaucoup d'ambre puisque, comme vous le savez, ce sont les baleines qui font l'ambre.

Il y a aussi des lions, des onces et des léopards en grand nombre, ainsi que d'autres bêtes comme des cerfs, des daims, des chevreuils et d'autres animaux de cette sorte ; de même, le gibier abonde en oiseaux d'espèces variées ; ils ont aussi des autruches. Tous ces oiseaux sont si différents des nôtres que c'est extraordinaire. Ils ont de nombreuses marchandises et les bateaux y accostent en grand nombre avec une foule de produits – tels que draps de soie et d'or de diverses sortes et autres choses – et ils les vendent tous pour les échanger contre les marchandises de l'île [...]. Je vous assure que les marchands font là de gros gains et de bons bénéfices.

Je peux vous dire que les bateaux ne peuvent pas aller plus au sud vers les autres îles, excepté celle-ci et celle de Zanzibar, car la mer a un tel courant vers le sud qu'ils ne pourraient que difficilement en revenir.

C'est pourquoi ils n'y vont pas. J'ajoute que les navires qui viennent du Coromandel à cette île font le trajet en vingt jours mais, pour revenir, ils mettent au moins trois mois, et la raison en est ce fort courant qui va toujours vers le sud, sans jamais changer de direction.

Sachez encore que, dans ces autres îles, qui sont en très grand nombre, vers le sud, où les bateaux ne peuvent aller en raison du courant, les hommes disent qu'on trouve des oiseaux-griffons. Ils prétendent que ces oiseaux n'apparaissent qu'en certaines saisons de l'année et qu'ils ne sont pas faits comme l'on croit ordinairement dans nos pays et comme nous les représentons. Nous disons en effet que l'oiseau-griffon est à moitié oiseau, à moitié lion. En revanche, ceux qui l'ont vu affirment qu'il n'est pas ainsi, mais qu'il est fait exactement comme un aigle, sauf qu'il a une taille gigantesque.

Je vais vous le décrire d'après le témoignage de ceux qui l'ont vu et d'après ce que j'en ai vu moi-même. Ils disent qu'il est si grand et si fort qu'il peut saisir un éléphant et l'emporter très haut dans les airs, puis il le laisse tomber de sorte qu'il s'écrase au sol ; alors, l'oiseau-griffon le becquette et s'en nourrit. Ceux qui l'ont vu disent encore que ses ailes ont une envergure de trente pas et que les plumes ont une longueur de douze pas ; elles ont une grosseur proportionnelle à leur longueur [...].

Ainsi, je vous ai parlé de l'oiseau-griffon, d'après le

témoignage de ceux qui l'ont vu. Je peux vous dire que le Grand Khan envoya une première fois ses messagers dans ces îles afin d'en avoir une meilleure connaissance, et qu'il en envoya encore d'autres afin d'obtenir la libération d'un de ses messagers qui avait été fait prisonnier. Ces messagers, de même que celui qui avait été retenu en prison, racontèrent au Grand Khan un grand nombre de merveilles au sujet de ces îles lointaines. Et je peux vous dire qu'ils en rapportèrent des dents de sangliers sauvages qui étaient d'une taille gigantesque ; le grand roi en fit peser une : elle pesait quatorze livres. Vous pouvez donc en déduire combien le sanglier était gros puisqu'il avait une telle dent.

Je peux vous dire ainsi, d'après leurs témoignages, qu'il y a des sangliers qui sont aussi grands que des buffles. Il y a beaucoup de girafes et d'ânes sauvages. Ils ont des bêtes et des oiseaux si différents des nôtres que c'est extraordinaire de l'entendre raconter et que ce le serait plus encore de le voir.

Nous voulons revenir à l'oiseau-griffon : les habitants de cette île l'appellent *roc*, ils ne lui connaissent pas d'autre nom et ne savent pas ce qu'est le griffon. Mais nous croyons qu'il s'agit bien du griffon en raison de sa taille gigantesque.

Maintenant que nous vous avons rapporté une bonne partie de ce qui concerne cette île, nous en partirons pour vous parler de l'île de Zanzibar, comme vous allez pouvoir l'entendre.

L'île de Zanzibar

Zanzibar est une île très vaste et réputée, qui fait bien deux mille milles de tour. Tous les habitants sont idolâtres et ont une langue spécifique. Ils sont gouvernés par un roi et ne versent tribut à personne. Ils sont grands et gros : assurément, ils ne sont pas aussi grands qu'ils ne sont gros ; je peux vous certifier en effet qu'ils sont si robustes et costauds qu'on dirait des géants. Leur force est si extraordinaire qu'ils sont capables de porter la charge de quatre hommes, et cela n'est pas étonnant car je peux vous assurer qu'ils mangent bien autant de nourriture que cinq hommes réunis. Ils sont tout noirs et vont nus, sauf qu'ils couvrent leur sexe. Ils ont les cheveux si crépus qu'on pourrait très difficilement les lisser avec l'eau. Ils ont une si grosse bouche, le nez si retroussé, les lèvres si épaisses et les yeux si grands qu'ils offrent un aspect horrible et celui qui les verrait dans un autre pays les prendrait pour des diables.

Il naît beaucoup d'éléphants dans le pays et les habitants font un grand commerce de leurs dents. Ils ont aussi des lions différents des autres, des onces et des léopards. Que pourrais-je en dire ? Tous leurs animaux sont différents des autres qui existent par le monde. Je peux vous dire ainsi qu'ils ont des moutons et des brebis qui sont seulement d'une sorte : tout blancs avec la tête noire, et vous ne trouverez pas dans toute l'île de moutons d'autre sorte. Il y naît aussi beaucoup de girafes qui sont très belles à voir ; elles sont faites de la manière suivante : elles ont un corps assez petit et plutôt bas du derrière, car les pattes de derrière sont courtes ; en revanche, les pattes de devant et le cou sont très allongés, de sorte que la tête, qui est assez petite, est placée très haut, à trois pas environ du sol. C'est un animal inoffensif ; elle est de couleur rouge et blanche, avec des ocelles, et est très belle à voir.

J'ajoute encore quelque chose au sujet de l'éléphant, que j'avais oubliée. Sachez que, lorsque l'éléphant veut couvrir la femelle, il creuse une fosse dans la terre de façon à placer la femelle dedans, à la renverse, comme une femme, car son sexe est très près du ventre, et que le mâle la monte comme si c'était un homme. Je peux vous dire aussi que les femmes de cette île ont un aspect très laid : elles ont une grande bouche, de gros yeux, un grand nez, et des mamelles quatre fois plus grandes que celles des autres femmes.

Ils se nourrissent de riz, de viande, de lait et de dattes. Ils n'ont pas de vin de raisin mais ils en font avec le riz, la canne à sucre et des épices : c'est une boisson excellente. Il se fait un très grand commerce car de nombreux marchands y viennent à bord de bateaux qui apportent une grande quantité de marchandises à vendre dans cette île puis ils emportent de l'île de nombreux produits, et spécialement des dents d'éléphants dont il y a en abondance. Et j'ajoute qu'ils ont beaucoup d'ambre car ils capturent beaucoup de baleines.

Sachez en outre que les habitants de cette île sont d'excellents soldats et combattent vigoureusement dans les batailles car ils sont très vaillants et ne craignent pas la mort. Ils n'ont pas de chevaux, mais combattent sur les chameaux et sur les éléphants. Je peux vous dire qu'ils font des sortes de tours sur les éléphants, bien protégées, et puis ils montent dessus à seize ou vingt hommes, armés de lances, d'épées et de pierres. Les batailles qui se font avec les éléphants sont très cruelles. Ils n'ont pas d'armes, si ce n'est des boucliers de cuir, des lances et des épées avec lesquelles ils s'entre-tuent très aisément. Je peux vous dire encore autre chose : sachez que, lorsqu'ils veulent conduire les éléphants au combat, ils leur donnent à boire de leur vin en très grande quantité, parce qu'ainsi ils deviennent plus féroces et fiers […].

Sachez que nous ne vous avons parlé que des pays, royaumes et îles les plus illustres de l'Inde car il n'y a personne qui puisse décrire toutes les îles de l'Inde : ce que j'ai conté, c'est le meilleur et toute la fleur de l'Inde ; en effet, la majorité des îles que je n'ai pas mentionnées sont sous la dépendance de celles que j'ai décrites.

Sachez de façon certaine que, dans cette mer de l'Inde, il y a douze mille sept cents îles, dont certaines sont habitées et d'autres non, selon ce que montrent le compas et les documents des marins expérimentés qui fréquentent cette mer. Nous cesserons maintenant de parler de l'Inde Majeure, qui va du Coromandel au Mekran et qui comporte treize royaumes [...]. L'Inde Mineure va de la Cochinchine jusqu'au Telingana et comprend huit royaumes, mais je ne vous ai parlé que des terres continentales car les îles représentent une quantité infinie de royaumes [...].

CHAPITRE CXCVIII

La ville d'Ormuz

Ormuz est une ville grande et renommée, qui est sur la mer. Les habitants sont gouvernés par un *melic*, dont dépend un grand nombre de villes et de bourgs. Ils sont sarrasins et adorent Mahomet. Il fait une très grande chaleur, c'est pour cette raison que les habitants ont installé dans leurs maisons des manchons à air qui reçoivent le vent. Ils placent le manchon là où souffle le vent et, de là, le font pénétrer dans leurs maisons. S'ils font cela, c'est parce qu'ils ne pourraient autrement supporter la canicule qu'il fait.

Mais nous n'en dirons pas davantage car nous vous avons parlé de ce lieu plus haut dans notre livre; toutefois, comme nous étions passés par un autre chemin, il nous fallait de nouveau revenir ici.

Arrêt sur lecture 5

Les voyages par mer

Le voyage maritime du retour

Marco Polo fut très probablement le premier voyageur occidental à revenir de Chine par voie maritime. Son livre nous laisse d'ailleurs bien percevoir qu'il a conscience d'être en quelque sorte un pionnier.

Le voyage aller s'était fait par voie terrestre, sur un trajet bien connu : c'était celui par lequel était déjà passé Alexandre le Grand pour aller jusqu'au nord de l'Inde ; celui qui fut parcouru en sens inverse par beaucoup de peuples envahisseurs, tels les Huns ; celui qui recouvre plus ou moins le tracé de la Route de la Soie qui, depuis l'Antiquité, mettait en communication l'Orient et l'Occident, même si les relations avaient pu connaître des périodes de latence ; celui qu'avaient parcouru les franciscains tels que Rubrouck (1253-1255) afin de voir de près qui étaient ces redoutables Mongols qui menaçaient l'Europe…

Mais le voyage par mer représente une vraie nouveauté, annonciatrice des bouleversements qui vont conduire deux siècles plus tard à la découverte de l'Amérique par Christophe Colomb (1492) et à l'accomplissement du premier tour du monde par Magellan (1519-1522).

L'avancée de la navigation chinoise

Comme nous le montre clairement Marco Polo, les Chinois ont pris une avance notable dans le domaine de la navigation. Ils assurent des liaisons régulières entre la Chine, l'Inde et l'Arabie, ce qui les amène à jouer un rôle de tout premier plan dans le commerce international, bien avant les Portugais qui prendront le relais au début du XVIᵉ siècle. Cette maîtrise de l'espace maritime s'explique par les progrès qu'ils ont accomplis dans la construction navale : la description que Marco Polo nous fournit des jonques chinoises (chap. CLVIII) nous donne une idée très précise de leur grandeur, de leur confort, de leur solidité.

Pour mieux saisir les avantages qu'elles offrent, vous les comparerez aux bateaux indiens, décrits dans la première partie (chap. XXXVII). En ce qui concerne le vocabulaire technique, ouvrez un dictionnaire et notez les définitions !

D'innombrables périls

Les bateaux chinois ont un aspect rassurant pour le voyageur qui s'y embarque, mais celui-ci n'est pas pour autant certain d'arriver vivant à destination ! Reportons-nous en effet à l'information donnée par Marco Polo dans le prologue (chap. XIX) : sur les six cents passagers qui firent la traversée de Quanzhou à Ormuz, seuls dix-huit ont survécu ! Le Vénitien n'indique pas comment les autres moururent, peut-être furent-ils victimes d'épidémies ou du scorbut.

D'autres dangers menacent les intrépides voyageurs qui s'aventurent sur ces mers, dont deux sont indiqués dans le texte : la rencontre de peuples inhospitaliers lors des escales (Marco Polo et ses compagnons semblent avoir été particulièrement effrayés par les cannibales de Sumatra, chap. CLXVII), et le danger des corsaires qui infestent les côtes occidentales de l'Inde (voyez le traitement qu'ils font subir aux marchands pour leur extorquer diamants ou pierres précieuses, chap. CLXXXIV).

L'omniprésence du Grand Khan

Un pouvoir rayonnant

Le texte a beau s'éloigner du royaume du Grand Khan, il ne cesse pour autant de faire référence à ce personnage : sa puissance rayonne pour ainsi dire jusqu'aux pays les plus éloignés qu'évoque Marco Polo dans sa description du monde. C'est d'abord le conquérant qui nous est montré, à travers la guerre qu'il livre au roi de Cochinchine (chap. CLXII) ou par les efforts, demeurés vains, de conquérir l'île lointaine de Sumatra (chap. CLXIII). Mais l'évocation de son pouvoir est aussi une façon de compléter son portrait moral, d'y ajouter encore d'autres qualités.

Un personnage aux multiples facettes

C'est un homme accessible à la pitié comme le montrent le respect et la générosité qu'il témoigne au vieux roi de Cochinchine. Son désir de richesse le porte à convoiter l'énorme rubis du roi de Ceylan (chap. CLXXIII) mais il doit finalement se consoler de ne pouvoir l'obtenir, grâce à l'acquisition de beaux diamants (chap. CLXXV). Son caractère pieux est souligné par les efforts qu'il déploie pour faire venir dans sa capitale les reliques du Bouddha qui se trouvaient dans cette même île de Ceylan (chap. CLXXVIII).

Enfin, sa puissance se manifeste aussi dans sa soif de connaître le monde puisqu'il envoie ses messagers jusqu'à Mogadiscio afin qu'ils en rapportent des récits merveilleux (chap. CXCI). Ce dernier trait ne manque pas d'associer étroitement le Grand Khan et Marco Polo… mais aussi le public : tous sont avides d'accroître leur savoir.

Les merveilles de l'Inde

Déjà, l'Antiquité considérait l'Inde comme une terre regorgeant de richesses, d'autant plus merveilleuse qu'on la connaissait mal. C'est bien encore l'image que nous donne Marco Polo, même si son voyage lui a permis de faire une description un peu plus réaliste. Cependant, comme il le reconnaît lui-même, il n'en a vu qu'une partie et nous en décrit avant tout les côtes.

Une géographie encore approximative

L'Inde – Telle que l'entend Marco Polo (ainsi que ses contemporains), l'Inde a une extension bien supérieure à celle que nous lui donnons aujourd'hui. D'abord, à l'est, il inclut dans l'Inde les pays du Sud-Est asiatique : c'est l'Inde Mineure qui va jusqu'au nord de la côte orientale de l'Inde actuelle. L'Inde Majeure recouvre à peu près l'Inde telle qu'on l'entend aujourd'hui. Enfin, à l'Ouest, il désigne l'Éthiopie comme Inde Moyenne, faisant donc déborder l'Inde sur l'Afrique.

La référence aux îles – L'île a toujours représenté un espace qui permet à la fantaisie et au rêve de se déployer : elle est un monde clos et lointain à la fois, difficile d'accès, où l'on peut se sentir libre et protégé, même si elle peut receler aussi des dangers et des menaces. Pensez, par exemple, au thème récurrent de l'île au trésor, ou à l'île de Robinson Crusoé : se retrouvant seul après le naufrage où ont péri tous ses compagnons, Robinson bâtit une société à sa façon, afin de résoudre les problèmes matériels de sa subsistance et d'affronter le mieux possible sa condition solitaire.

On trouve chez Marco Polo une fascination pour les îles, qui va de pair avec sa représentation un peu confuse de l'Inde. Ainsi, il n'hésite pas à dénombrer « douze mille sept cents îles » dans l'océan Indien (chap. CXCII) ; et surtout, il transforme en îles des pays qui n'en sont pas : c'est le cas de la Somalie, avec sa capitale Mogadiscio (chap. CXCI). Un bon exemple de l'imagination qui se donne libre cours dans cet espace insulaire se trouve dans la description des îles Mâle et Femelle (chap. CLXXXIX) : inutile de les chercher sur la carte, nous avons très certainement affaire ici à une belle légende !

De fabuleuses richesses

Plus qu'ailleurs dans le livre, le conteur a recours à des formules qui tendent à présenter l'Inde comme un pays si différent et si merveilleux qu'il est difficile d'en parler. Ainsi, pour l'île de Sumatra, « il y a une si grande richesse que personne au monde ne saurait la décrire » (chap. CLXIII). Procédé habile où le conteur suggère le plus en disant le moins. C'est au lecteur d'imaginer, ce qui le laisse libre de rêver ! À votre tour, repérez dans cette partie des formules du même type qui éveillent l'imagination du lecteur plutôt qu'elles ne le renseignent.

Il n'y a qu'à se baisser pour récolter les merveilles de la terre indienne. Un paradis terrestre, surtout pour ceux qui contrôlent la cueillette du poivre, effectuée par les autochtones (enluminures du XVe siècle).

Ce n'est pas tant la quantité que la qualité qui importe ici, car c'est en Inde, et en Inde seulement, que l'on trouve certains produits d'une valeur inestimable.

Les épices – Elles sont très recherchées au Moyen Âge car elles permettent de préparer les viandes (en particulier le gibier, très présent sur la table des nobles, dont le loisir principal est la chasse) qu'on a beaucoup de mal à conserver (on ne possède pas de réfrigérateur ! elles s'abîment donc très vite, surtout pendant la saison chaude) et qu'on apprête surtout avec des marinades et des sauces. Les épices, venant de loin, sont coûteuses et caractérisent la cuisine des plus riches. La principale est le poivre (cultivé en très grande quantité dans la région de Quilon, chap. CLIII), mais l'Inde produit aussi le girofle, la noix de muscade, le gingembre et la cannelle.

L'épicier fut d'abord le marchand d'épices (substances aromatiques ou piquantes d'origine végétale) ; ce n'est qu'au XIXᵉ siècle qu'il désigne une personne qui vend des produits alimentaires de consommation courante.

Les produits rares ou de luxe – Il peut s'agir de plantes aromatiques dont on extrait des parfums (le nard, le galanga, le bois d'aloès, le bois de santal), ou bien de substances végétales qui servent à la teinture des tissus (le brésil et l'indigo). Notons aussi le bois d'ébène, bois précieux dont Marco Polo nous signale qu'il était utilisé pour faire les pièces noires du jeu d'échecs (chap. CLXII), très prisé au Moyen Âge.

Les produits plus recherchés sont les matières précieuses telles que l'ivoire (des éléphants), l'ambre (des baleines) et surtout les perles, les diamants et les pierres précieuses (topazes, améthystes, saphirs…). Depuis le XIIᵉ siècle, la courtoisie s'est développée en Europe : l'esprit courtois (de la cour du seigneur) cherche à se distinguer par un mode de vie raffiné et en particulier par le soin accordé à la parure. On comprend donc la fascination pour l'Inde, réservoir où l'on puise tout ce qui permet d'orner la vie des nobles seigneurs : tissus, bijoux, parfums et objets de luxe.

Les coutumes et les croyances en Inde

L'hindouisme

Cette religion propre à l'Inde (les premiers textes apparaissent entre 800 et 600 av. J.-C.) pose l'existence d'un grand nombre de divinités ; elle est liée à une organisation sociale reposant sur une division en castes héréditaires. Les brahmanes constituent la première de ces castes, celle qui assure la fonction religieuse. Dès l'Antiquité, ils incarnent un modèle de sagesse et d'ascétisme. La description que Marco Polo nous fournit de leurs mœurs et de leurs croyances (chap. CLXXVII) laisse transparaître une certaine admiration devant leur mode de vie, en particulier leur nourriture simple (ce sont des végétariens) qui leur permet de vivre très vieux.

Mais il considère avec un étonnement amusé leurs diverses superstitions et leur respect de tout organisme vivant ; quant à leur habitude de brûler les morts et à la raison qu'ils invoquent pour la justifier, elle ne peut que choquer le chrétien qu'il est. En revanche, le petit discours qu'il prête aux *yogis* qui expliquent pourquoi ils n'ont pas honte d'aller tout nus, de même que le test que l'on fait passer aux futurs religieux, ne manquent pas de piquant : le Vénitien cherche ici à amuser autant qu'à instruire.

Flash étymologique

C'est par la pratique du *yoga* que ces ascètes parviennent à la sagesse. Cette pratique, telle qu'elle a été importée en Occident, est avant tout une recherche de la discipline et de la maîtrise du corps, mais en Inde elle représente un véritable système philosophique grâce auquel l'homme, maîtrisant à la fois son corps et son esprit, tente de rejoindre un état de perfection dans l'immobilité absolue, la contemplation, l'extase. Cette maîtrise leur permet de réaliser des actions encore plus étonnantes que celles que nous indique Marco Polo (voyez Textes à l'appui, p. 279).

La vie de Bouddha

Bouddha (VIIᵉ s. av. J.-C.) signifie « celui qui s'est éveillé à la Vérité ». Ce sage de l'Inde antique enseigna une méthode destinée à découvrir la réalité cachée derrière les apparences et à se libérer définitivement des illusions, des passions et de la douleur inhérente à toute forme d'existence. Le petit récit de Marco Polo (chap. CLXXVIII) constitue certes une légende, mais il permet de retrouver les grandes caractéristiques de la sagesse prêchée par Bouddha. Sa vie est ici présentée en exemple, ce qui conduit Marco Polo à le rapprocher des saints chrétiens et même de Jésus-Christ. Mais il expose avec plus de scepticisme la doctrine bouddhiste de la réincarnation selon laquelle on ne peut atteindre la sagesse qu'en dépassant les épreuves liées aux diverses vies que les réincarnations successives permettent d'expérimenter.

Les Noirs d'Afrique

Le portrait qu'il en brosse est caricatural et quelque peu effrayant (chap. CXCII). Il est vrai qu'il s'agit d'informations obtenues par ouï-dire. En outre, comme il le suggère dans sa dernière phrase, nos jugements sont relatifs : un Blanc, dit-il, « les prendrait pour des diables » ; n'est-ce pas sous-entendre aussi qu'un Noir jugerait diabolique le Blanc parce qu'il est différent ?

Les animaux exotiques

Pour les animaux, comme pour le reste, l'Inde se caractérise par sa différence radicale : « Il y a de nombreux animaux de diverses espèces qui diffèrent de tous les autres animaux du monde » (chap. CLXXX), affirme Marco Polo qui évoque les perroquets, les lions, les girafes, etc. Mais deux animaux retiennent davantage son attention : l'oiseau-roc et l'éléphant.

L'oiseau-roc

Notons d'abord que ce que nous raconte Marco Polo à son sujet fait partie des informations de seconde main : il pourrait donc bien s'agir ici d'une légende ! Mais ce qui est intéressant, c'est qu'il l'associe à un autre volatile qui est, lui aussi, fabuleux : l'oiseau-griffon, créature encore plus complexe que celle que nous décrit Marco Polo, puisqu'elle est dotée du corps du lion, de la tête et des ailes de l'aigle, des oreilles du cheval et d'une crête en nageoire de poisson ! Or, le voyageur manifeste ici, comme souvent dans son livre, une attitude relativement réaliste puisqu'il substitue l'oiseau-griffon à l'oiseau-roc. Finalement, l'oiseau-roc n'a qu'un trait merveilleux : c'est sa taille gigantesque et donc sa force extraordinaire.

Ainsi, Marco Polo ne s'en laisse pas facilement conter et s'il est prêt à s'émerveiller devant les chiffres astronomiques, il témoigne aussi d'un certain esprit critique. Toutefois, sous le masque d'un plus grand réalisme, l'aspect légendaire demeure bien présent. En effet, ce qu'il nous dit sur l'oiseau-roc a un intérêt supplémentaire pour nous. Cet animal figure dans les contes des *Mille et Une Nuits*, plus précisément dans le récit du deuxième voyage de Sindbad (voir Textes à l'appui, p. 281) où sa mention est associée à l'autre histoire que nous raconte Marco Polo dans cette partie de son livre : la récolte des diamants par l'entremise des aigles. Or ces contes n'étaient pas encore connus en Europe. Il y donc de fortes chances que Marco

Au XVe siècle, les enlumineurs ne maîtrisaient pas parfaitement la perspective.
On peut ainsi croire que la chambre de bois portée par quatre éléphants, transportant le Grand Khan vers la chasse au gerfaut, est un médaillon enchâssé dans le dessin.

Polo ait entendu ces histoires pendant son voyage, peut-être de la bouche de marchands musulmans rencontrés dans les ports ou les places commerciales, qui sont justement souvent ceux qui, dans les contes des *Mille et Une Nuits*, racontent les fantastiques aventures que leurs voyages d'affaires leur ont fait vivre.

L'éléphant

Cet animal est souvent mentionné dans le livre de Marco Polo. Il fascine par sa force redoutable (lisez son rôle dans les combats, chap. CXCII) mais aussi par sa docilité lorsqu'on le dresse (voyez les qualités « humaines » que Marco Polo lui prête dans son comportement vis-à-vis de la femelle). Enfin, n'oublions pas l'intérêt du marchand : c'est de ses défenses (et non de ses dents, comme le dit notre voyageur) qu'on tire l'ivoire.

à vous...

1 – Synthèse – Vous suivrez le parcours du voyageur sur la carte en distinguant autant que possible les pays où il a pu effectivement passer de ceux dont il a seulement entendu parler.
– Vous ferez un tableau récapitulant les marchandises recensées dans toute cette partie, en notant pour chacune la (ou les) région(s) d'origine.

2 – Rédiger – Imaginez à votre tour une île « merveilleuse » : décrivez ses ressources, sa faune et sa flore, le mode de vie de ses habitants et indiquez si elle représente plutôt pour vous un petit paradis ou un enfer en miniature.

3 – Décrire – Choisissez un des animaux exotiques évoqués par Marco Polo et décrivez-le de façon à permettre à quelqu'un qui ne l'a pas vu de s'en faire une idée précise (voyez sa description de la girafe, chap. CXCII).

4 – Analyser – Relisez attentivement le récit de la vie de Bouddha (chap. CLXXVIII) en dégageant les diverses étapes qui lui permettent d'atteindre la sagesse. Que pensez-vous de cette sorte de sagesse ?

Textes à l'appui

Les incroyables pouvoirs des yogis

Le marocain Ibn Battutah (1304-1377) fut un voyageur au moins aussi audacieux que Marco Polo puisque, parti de Tanger, il alla lui aussi jusqu'en Chine, en passant par l'Inde où il séjourna de nombreuses années. Voici son étonnant témoignage sur la lévitation d'un yogi.

« Un jour, le sultan m'envoya chercher pendant que j'étais à Dihlî. Je fus introduit auprès de lui, alors qu'il se trouvait dans un cabinet avec quelques intimes et deux de ces yogis qui s'enveloppent dans des couvertures et se couvrent la tête parce qu'ils s'épilent les cheveux avec de la cendre comme on le fait pour les aisselles. Le sultan me demanda de m'asseoir et dit à ces deux hommes : « Cet étranger vient d'un pays lointain. Montrez-lui donc ce qu'il n'a jamais vu ! » L'un d'eux s'assit en tailleur, puis s'éleva au-dessus du sol si bien qu'il planait au-dessus de nous, tout en étant assis à croupetons. Je fus stupéfait et pris d'une telle frayeur que je m'évanouis. Alors, le sultan ordonna qu'on me donnât un remède qu'il avait là. Je revins à moi et m'assis, notre yogi était en l'air, toujours à croupetons ! L'autre sortit de sa sacoche une sandale, en frappa le sol comme un forcené. La sandale s'éleva jusqu'au-dessus du cou du yogi assis à croupetons et se mit à le frapper à la nuque, alors il descendit peu à peu jusqu'à terre. Le sultan me dit : «Le yogi qui était à croupetons est un disciple de celui qui a pris la sandale.» Puis il ajouta : «Si je ne craignais pas pour ta raison, j'aurais ordonné à ces deux yogis de réaliser un tour plus extraordinaire que celui auquel tu viens d'assister !» Je me retirai. J'eus des palpitations et je tombai malade. Alors, le sultan prescrivit qu'on me donnât un remède qui me guérit. Mais revenons à notre voyage. **»**

Voyageurs arabes, Éditions Gallimard,
coll. «Bibliothèque de la Pléiade», 1995.

Les performances extraordinaires des yogis continuent de surprendre les voyageurs contemporains. Voici ce que raconte l'exploratrice Alexandra David-Neel (1868-1969) au sujet des épreuves auxquelles se soumettent certains ermites tibétains afin de montrer la parfaite maîtrise de leur corps.

« Les candidats au titre de *réspa*, complètement nus, s'assoient sur le sol, les jambes croisées. Des draps sont plongés dans l'eau glacée ; ils y gèlent et en sortent raidis. Chacun des disciples en enroule un autour de lui et doit le dégeler et le sécher sur son corps. Dès que le linge est sec, on le replonge dans l'eau et le candidat s'en enveloppe de nouveau. L'opération se poursuit ainsi jusqu'au lever du jour. Alors celui qui a séché le plus grand nombre de draps est proclamé le premier du concours.

Il est dit que certains parviennent à sécher jusqu'à quarante draps dans le cours d'une nuit. Il est bon de faire part de l'exagération et, aussi, de tenir compte de la grandeur des draps qui peuvent très bien, dans quelques cas, être devenus minuscules et purement symboliques. Cependant, il n'y a pas de doute que des *réspas* ne sèchent vraiment sur eux plusieurs pièces d'étoffe de la dimension d'un grand châle. J'ai pu constater le fait *de visu*.

Il faut en avoir séché au moins trois avant d'être reconnu pour un vrai *réspa* digne de porter la jupe de coton blanc, qui distingue les "licenciés ès arts de *toumo*". Du moins telle était la règle primitive, mais il est douteux qu'elle soit très strictement observée de nos jours. **»**

Alexandra David-Neel, *Mystiques et magiciens du Tibet*,
Éditions Plon, 1969.

L'oiseau-roc

Les contes des *Mille et Une Nuits* ont une origine fort ancienne, dont la source serait persane, mais que les Arabes transposèrent dans leur langue, en y ajoutant de nouveaux récits, en particulier les *Voyages de Sindbad* dont est extraite l'aventure suivante. On y reconnaît sans peine quelques merveilles de l'Inde contées par Marco Polo dans son *Devisement* !

« À la fin, je me résignai à la volonté de Dieu, et, sans savoir ce que je deviendrais, je montai au haut d'un grand arbre, d'où je regardai de tous côtés pour voir si je ne découvrirais rien qui pût me donner quelque espérance. En jetant les yeux sur la mer, je ne vis que de l'eau et le ciel ; mais, ayant aperçu du côté de la terre quelque chose de blanc, je descendis de l'arbre, et, avec ce qui me restait de vivres, je marchai vers cette blancheur, qui était si éloignée que je ne pouvais pas bien distinguer ce que c'était.

Lorsque j'en fus à une distance raisonnable, je remarquai que c'était une boule blanche d'une hauteur et d'une grosseur prodigieuses. Dès que j'en fus près, je la touchai et la trouvai fort douce. Je tournai à l'entour pour voir s'il n'y avait point d'ouverture ; je n'en

Créatures bicéphales aux ailes de chauve-souris, loup à corps de pintade et autres hybrides fantaisistes ... tels qu'on se représentait, dans *Le Livre des Merveilles* du XVe siècle, les monstres de la province de Carajan.

pus découvrir aucune, et il me parut qu'il était impossible de monter dessus, tant elle était unie. Elle pouvait avoir cinquante pas en rondeur.

Le soleil alors était prêt à se coucher. L'air s'obscurcit tout à coup comme s'il eût été couvert d'un nuage épais. Mais, si je fus étonné de cette obscurité, je le fus bien davantage quand je m'aperçus que ce qui la causait était un oiseau d'une grandeur et d'une grosseur extraordinaires, qui s'avançait de mon côté en volant. Je me souvins d'un oiseau appelé *roc* dont j'avais souvent ouï parler aux matelots, et je conçus que la grosse boule que j'avais tant admirée devait être un œuf de cet oiseau. En effet, il s'abattit et se posa dessus, comme pour le couver. En le voyant venir, je m'étais serré fort près de l'œuf, de sorte que j'eus devant moi un des pieds de l'oiseau, et ce pied était aussi gros qu'un gros tronc d'arbre. Je m'y attachai fortement avec la toile dont mon turban était environné, dans l'espérance que le roc, lorsqu'il reprendrait son vol le lendemain, m'emporterait hors de cette île déserte. Effectivement, après avoir passé la nuit en cet état, d'abord qu'il fut jour, l'oiseau s'envola et m'enleva si haut que je ne voyais plus la terre; puis il descendit tout à coup avec tant de rapidité que je ne me sentais pas. Lorsque le roc fut posé et que je me vis à terre je déliai promptement le nœud qui me tenait attaché à son pied. J'avais à peine achevé de me détacher qu'il donna du bec sur un serpent d'une longueur inouïe. Il le prit et s'envola aussitôt.

Le lieu où il me laissa était une vallée très profonde, environnée de toutes parts de montagnes si hautes qu'elles se perdaient dans la nue, et tellement escarpées qu'il n'y avait aucun chemin par où l'on y pût monter. Ce fut un nouvel embarras pour moi, et, comparant cet endroit à l'île déserte que je venais de quitter, je trouvai que je n'avais rien gagné au change.

En marchant par cette vallée, je remarquai qu'elle était parsemée de diamants, dont il y en avait d'une grosseur surprenante; je pris beaucoup de plaisir à les regarder; mais j'aperçus bientôt de loin des objets qui diminuèrent fort ce plaisir, et que je ne pus voir sans effroi. C'étaient un grand nombre de serpents si gros et si longs qu'il n'y en avait pas un qui n'eût englouti un éléphant. Ils se retiraient pendant le jour dans leurs antres, où ils se cachaient à cause du roc leur ennemi, et ils n'en sortaient que la nuit.

Je passai la journée à me promener dans la vallée, et à me reposer de temps en temps dans les endroits les plus commodes. Cependant le soleil se coucha ; et, à l'entrée de la nuit, je me retirai dans une grotte où je jugeai que je serais en sûreté. J'en bouchai l'entrée, qui était basse et étroite, avec une pierre assez grosse pour me garantir des serpents, mais qui n'était pas assez juste pour empêcher qu'il n'y entrât un peu de lumière. Je soupai d'une partie de mes provisions, au bruit des serpents qui commencèrent à paraître. Leurs affreux sifflements me causèrent une frayeur extrême et ne me permirent pas, comme vous pouvez penser, de passer la nuit fort tranquillement. Le jour étant venu, les serpents se retirèrent. **»**

Les Mille et Une Nuits, « Deuxième voyage de Sindbad ».

L'éléphant

N'ayant jamais vu d'éléphant, les Européens du Moyen Âge avaient beaucoup de peine à s'imaginer comment étaient véritablement ces animaux, auxquels ils prêtaient de nombreux traits merveilleux. Voici par exemple la description qu'en fait Brunetto Latini dans son encyclopédie, le *Livre du Trésor*, rédigée en 1264.

« L'*éléphant* est la plus grande bête que l'on connaisse. Ses dents sont faites d'ivoire, et son bec, appelé *trompe*, est semblable à un serpent. À l'aide de ce bec, il saisit sa nourriture et la met dans sa bouche : et du fait que la trompe est garnie d'un ivoire résistant, elle possède une si grande force qu'elle brise tout ce qu'elle frappe.

La nature de l'éléphant est telle que la femelle, avant l'âge de treize ans, et le mâle, avant quinze, ne savent pas ce qu'est le désir charnel : et en outre, ce sont des êtres si chastes qu'ils ne se battent pas entre eux pour conquérir une femelle, car chacun a la sienne, à laquelle il demeure fidèle toute sa vie, à tel point que si un éléphant perd sa femelle, ou inversement, le survivant ne s'unit jamais à un autre, mais il demeure toujours tout seul dans le désert. Et du fait que le désir charnel n'est pas assez vif en eux pour qu'ils s'accouplent comme les autres bêtes, voici ce qui leur arrive : à l'appel de la nature, les deux compagnons se rendent en direction de l'orient près du paradis terrestre : lorsque la femelle trouve une herbe que l'on appelle mandragore, elle en mange, et elle incite son mâle de façon si pressante à y goûter qu'il en mange lui aussi : et aussitôt le désir de l'un et l'autre s'enflamme et ils s'accouplent, la femelle étendue sur le dos. Ils n'engendrent qu'un seul petit, et cela ne se passe qu'une seule fois dans toute leur vie (et pourtant, ils vivent bien trois cents ans). Et quand vient le temps de mettre bas, c'est-à-dire deux ans après l'accouplement, ils pénètrent dans l'eau d'un étang jusqu'au ventre, et la mère met bas son petit tandis que le père reste constamment aux aguets, par crainte du dragon, qui est leur ennemi, car il est très gourmand de leur sang qui, chez l'éléphant, est plus froid et plus abondant que chez tout autre animal. Et des gens qui ont vu cela bien souvent affirment qu'un éléphant, lorsqu'il tombe, ne peut se relever malgré sa force, car il n'a aucune articulation aux genoux : mais Nature, qui guide tous les êtres, lui apprend à crier d'une voix puissante jusqu'à ce qu'accourent tous les autres éléphants du pays, ou tout au moins jusqu'à ce qu'ils soient au nombre de douze : et ils se mettent tous ensemble à crier jusqu'à ce qu'arrive le petit éléphant, qui le relève par la force de sa bouche et de sa trompe, qu'il glisse sous lui. **»**

Brunetto Latini, *Le Livre du Trésor*,
in *Bestiaires du Moyen Âge*, Éditions Stock, 1995.

Bilans

Des oiseaux capables de soulever des éléphants, des hommes qui se mettent au lit pendant quarante jours pour relayer leurs femmes venant tout juste d'accoucher, un rubis si énorme que personne au monde ne pourrait l'acheter tant il vaut cher… Voilà en effet bien des merveilles ! Et encore, nous n'avons présenté qu'une partie du livre, préférant d'abord vous le faire découvrir par des extraits. Marco Polo aurait d'ailleurs lui-même dit avant de mourir qu'il n'avait pas raconté le quart de ce qu'il avait vu car on aurait refusé de le croire.

Un récit très titré…

Il est vrai que, de son vivant déjà, le contenu de son livre fut considéré par beaucoup comme peu vraisemblable, d'où les déformations que l'on fit subir au titre. En Italie, on intitula le livre *Milione* (« Million »), ce qui permit de suggérer toutes les richesses dont parlait l'ouvrage, laissant aussi penser qu'elles étaient plus imaginaires que réelles.

En France, c'est comme *Livre des merveilles* que le livre fut surtout connu. Aux XIVe et XVe siècles, de nombreuses copies furent faites pour les grandes familles princières de France, qui firent orner les manuscrits de splendides enluminures représentant les scènes les plus importantes ou les plus curieuses que décrivait Marco Polo dans son livre. Le plus beau de ces manuscrits est conservé à la Bibliothèque nationale de Paris, avec toutes les attentions que mérite une œuvre d'art.

Si le livre connut un succès rapide, comme en témoignent les quelque cent quarante manuscrits qui nous sont parvenus, il fut donc d'abord apprécié comme recueil de merveilles, dont on se souciait peu de savoir le degré de réalité. Toutefois, les cartographes utilisèrent aussi certaines informations transmises par Marco Polo afin de donner une image plus exacte de cet Orient encore mal connu.

Mais c'est surtout à la fin du XVe et au XVIe siècle que *Le Devisement du monde* trouva un nouveau type de lecteurs, ceux-là mêmes qui se lançaient dans l'entreprise des grandes découvertes et de l'exploration du monde. Ainsi, Christophe Colomb fut un lecteur très attentif du livre de Marco Polo, comme en témoigne l'exemplaire du *Devisement* conservé à la Bibliothèque de Séville, portant les annotations et les commentaires de l'amiral dans la marge. Et c'est bien la Chine du Grand Khan et ses infinies richesses qu'il croyait atteindre en voguant vers l'ouest avec ses caravelles, avant de découvrir l'Amérique.

Un homme curieux des hommes

Aujourd'hui, que pouvons-nous trouver dans *Le Devisement du monde* ? D'abord, une meilleure connaissance du Moyen Âge, d'une époque que l'on a eu trop souvent tendance à considérer comme obscure et figée. Mais surtout, ce que le livre de Marco Polo met au premier plan, c'est la rencontre avec d'autres civilisations, riches d'un passé, d'une histoire, que nous connaissons encore trop mal, la Chine, l'Inde, le monde islamique…

Sans doute, notre Vénitien n'est pas dénué de préjugés, mais tout compte fait, il semble en avoir moins que nous ! En effet, dans le regard qu'il porte sur les peuples qu'il rencontre, on perçoit le plus souvent sa curiosité bienveillante pour la diversité humaine ainsi qu'une fondamentale admiration pour les capacités d'adaptation et les multiples savoir-faire qui témoignent de l'ingéniosité des hommes.

Un clin d'œil avant de se quitter

Concluons sur une note humoristique. Comme on l'a précisé plus haut, le texte de Marco Polo nous est parvenu dans des manuscrits nombreux qui présentent parfois des versions assez différentes, de sorte qu'il est très difficile de savoir quel est le texte original. Ainsi, certaines versions donnent des détails ou des développements absents dans les autres : s'agit-il d'ajouts de copistes ou au contraire figuraient-ils dans l'original que l'on aurait censuré ? C'est peut-être cette dernière hypothèse qui pourrait expliquer dans la version que nous avons suivie l'absence d'une anecdote, fort pittoresque, mais qui pourrait bien avoir été jugée trop scabreuse par certains copistes soucieux de bon ton !

Marco Polo est en train de décrire la Russie et les régions où le froid est le plus intense : pour s'en protéger, les habitants ont dû aménager le long des routes de petits bâtiments où l'on fait du feu en permanence afin que ceux qui se déplacent puissent à tout moment se réchauffer car le froid à l'extérieur est tel qu'ils ne pourraient le supporter un certain temps sans que leur corps soit gelé. En outre, ils ont des tavernes où les hommes et les femmes se réunissent régulièrement afin de boire une boisson alcoolisée qui s'appelle cervoise…

« Un jour qu'un homme rentrait chez lui avec sa femme, à une heure tardive, après une de ces beuveries, celle-ci s'accroupit pour faire pipi ; mais, à cause du froid intense, les poils de son entrecuisses gelèrent aussitôt et se prirent à l'herbe qu'il y avait dessous, de sorte que la femme, qui ne pouvait bouger sans ressentir une grande douleur, se mit à crier. Alors son mari, bien qu'il fût complètement saoul, ne manqua pas de se préoccuper du malheur qui arrivait à sa femme : il se pencha, mettant toute son énergie à souffler de façon à faire fondre cette glace par la chaleur de son haleine. Mais tandis qu'il soufflait, l'humidité de son haleine gela à son tour, de sorte que les poils de sa barbe s'unirent à ceux de sa femme, si bien que lui non plus ne pouvait bouger sans éprouver une vive douleur et que, comme elle, il demeurait solidement attaché. C'est ainsi qu'il fallut qu'arrivât une troisième personne afin de faire fondre cette glace, pour leur permettre à tous deux de poursuivre leur chemin. **»**

Annexes

Petite bibliographie

Pour les débutants

« Belles reproductions des enluminures du *Livre des Merveilles* », *in* revue *FMR* n° 14, Paris, 1983.
Jean-Pierre Dreges, *Marco Polo et la route de la soie*, coll. « Découvertes », Gallimard, Paris, 1989.
Jacques Gernet, *La vie quotidienne en Chine à la veille de l'invasion mongole, 1250-1276*, Hachette, Paris, 1959.

Pour les passionnés

Histoire secrète des Mongols. Chronique mongole du XIIIe siècle, trad. française, Gallimard, Paris, 1994.
Frédéric Chapin Lane, *Venise, une république maritime,* trad. française, Flammarion, Paris, 1985.
Jean Favier, *Les grandes découvertes. D'Alexandre à Magellan*, Fayard, Paris, 1991.
René Grousset, *L'empire des steppes*, Paris, 1939, rééd. Payot, Paris, 1993.
Jacques Heers, *Marco Polo*, Fayard, Paris, 1983.
Jean-Paul Roux, *Histoire de l'Empire mongol*, Fayard, Paris, 1993.
Guillaume de Rubrouck, *Voyage dans l'Empire mongol*, trad. française, Payot, Paris, 1985.

TABLE DES MATIÈRES

Dans la même collection

Collège

Le médecin malgré lui   *Molière*

Les fourberies de Scapin   *Molière*

Les contes d'Apothicaire   *Régine Detambel*

Cité de vérité   *James Morrow*

Knock   *Jules Romains*

Le Cid   *Pierre Corneille*

Zadig   *Voltaire*

Lycée

Ferragus   *Honoré de Balzac*

La cantatrice chauve   *Eugène Ionesco*

La bête et la belle   *Thierry Jonquet*

Le jeu de l'amour et du hasard   *Marivaux*

Les châtiments   *Victor Hugo*

Nouvelles de Pétersbourg   *Nicolas Gogol*

Pour plus d'informations :
http://www.gallimard.fr
ou
La bibliothèque Gallimard
5, rue Sébastien-Bottin — 75328 Paris Cedex 07